L'Homme
de la toundra

Données de catalogage avant publication (Canada)

Noël, Michel, 1944-
    L'homme de la toundra
    (Collection Atout ; n° 73-74)
    Pour les jeunes de 13 ans et plus.
    ISBN 2-89428-591-4

    I. Titre. II. Collection : Atout ; 73-74.

PS8577.O356H65 2002   jC843'.54   C2002-941057-6
PZ9577.O356H65 2002
PZ23.N63Ho 2002

Les Éditions Hurtubise HMH bénéficient du soutien financier des institutions suivantes pour leurs activités d'édition :

- Conseil des Arts du Canada ;
- Gouvernement du Canada par l'entremise du Programme d'aide au développement de l'industrie de l'édition (PADIÉ) ;
- Société de développement des entreprises culturelles au Québec (SODEC) ;
- Gouvernement du Québec par l'entremise du programme de crédit d'impôt pour l'édition de livres.

Éditrice Jeunesse : **Édith Madore**
Collaboration éditoriale : **Chantal Vaillancourt**
Conception graphique : **Nicole Morisset**
Illustration de la couverture : **Ludmila Zeman**
Mise en page : **Lucie Coulombe**

© Copyright 2002
Éditions Hurtubise HMH ltée
Téléphone : (514) 523-1523 • Télécopieur : (514) 523-9969
www.hurtubisehmh.com

Distribution en France
Librairie du Québec/DEQ
Téléphone : 01 43 54 49 02 • Télécopieur : 01 43 54 39 15
Courriel : liquebec@noos.fr

Dépôt légal/3e trimestre 2002
Bibliothèque nationale du Canada
Bibliothèque nationale du Québec

Imprimé au Canada

Michel Noël

L'Homme
de la toundra

Collection **A**TOUT

Michel Noël travaille à Québec, au Bureau des sous-ministres, Ministère de la Culture et des Communications ; il est actuellement coordonnateur des Affaires autochtones. Mais Michel est un nomade de cœur. Tout jeune déjà, il suit sa famille d'un camp forestier à l'autre. Son père travaille pour la Compagnie internationale de papier (CIP) et la forêt est son terrain de jeux. « Nous habitions, dit-il, le même territoire que les Amérindiens et ma famille partageait avec eux de nombreuses activités sociales, religieuses et culturelles. Nos voisins étaient des Algonquins du lac Rapide, du lac Victoria, de La Barrière et de Maniwaki, et nous avions des ancêtres communs. »

Son intérêt pour la culture et l'expression artistique des peuples autochtones s'est développé dans son travail, mais aussi dans sa propre création : il est l'auteur d'une quarantaine d'ouvrages (contes, livres d'art, théâtre, livres de référence) sur ce sujet. En 1997, Michel Noël a été lauréat du prix du Gouverneur général du Canada, en littérature jeunesse. Plusieurs de ses livres ont été traduits en anglais et en portugais.

Je suis reconnaissant à Grégoire, Marie-Marthe et Daniel Gabriel de Schefferville qui m'ont tant appris sur la vie, la culture et les territoires des Innus.

« L'homme se découvre quand il se mesure à l'obstacle. »

Antoine de Saint-Exupéry,
Terre des hommes

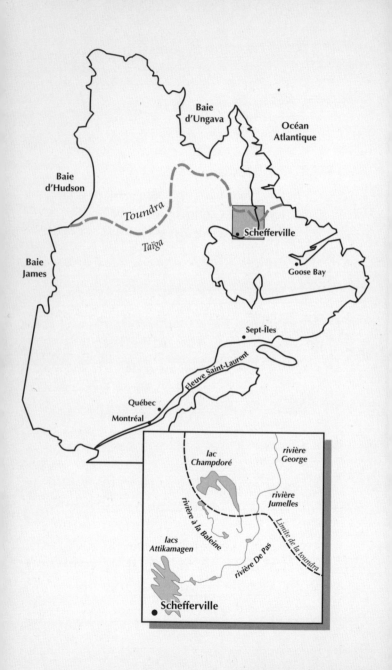

Baie
d'Ungava

Océan
Atlantique

Baie
d'Hudson

Toundra

Taïga

Schefferville

Baie
James

Goose Bay

Sept-Îles

Fleuve Saint-Laurent

Québec

Montréal

lac
Champdoré

rivière
George

rivière à la Baleine

rivière
Jumelles

lacs
Attikamagen

Limite de la toundra

rivière De Pas

Schefferville

1

LE VIEUX SENTIER

— Non ! Je ne me laisserai pas mourir.

Je n'ai plus qu'une idée, une obsession, me sortir de là au plus vite, avant qu'il ne soit trop tard. Je déboucle la ceinture qui me retient à mon siège, attrape mon sac de survie, enfile une bretelle en bandoulière pour ne pas le perdre, ouvre la portière d'un coup d'épaule et me laisse tomber dans le vide, les deux pieds devant, sans savoir où je vais amerrir.

— Ah !

C'est le seul cri qui me sort de la bouche. Un « ah ! » angoissé. J'ai le souffle coupé, la voix blanche, étranglée. Je suis plongé dans l'eau glacée jusque sous les bras. La douleur me saisit et pénètre bientôt jusqu'à la moelle de mes os.

— Ah ! Ah ! Ah !

J'en ai les larmes aux yeux. Le froid est tellement saisissant que je n'arrive plus à respirer. Dans un ultime effort, je m'agrippe d'une main à l'aile qui affleure l'eau et de l'autre, je tiens fermement mon sac de survie qui me sert de flotteur. Je donne des coups de pieds, comme un chien qui patauge le nez à peine sorti de l'eau, tire sur l'aile, avance péniblement dans l'affreuse mare noire, mêlée de neige fondante et de cristaux de glace. À force de me débattre, j'arrive enfin à saisir une branche qui s'allonge au-dessus du lac comme un bras secourable, à enfoncer une main dans la terre nue, froide et rocailleuse, à me hisser à plat ventre sur la falaise gluante.

Une pluie verglaçante me plaque les cheveux, l'eau me pisse dans la figure. De la main je m'essuie le front. Elle est imbibée de sang chaud, visqueux, et de boue froide. Je saigne abondamment du nez mais ne sens aucune douleur.

Je dois bouger sans arrêt, avancer, ne pas m'arrêter, chercher vite à me mettre à l'abri.

Je me traîne à quatre pattes pour grimper la falaise escarpée qui se dresse devant moi. J'avance en diagonale, en m'accrochant à tout ce sur quoi je peux mettre les mains : des branches d'épinette, des roches en saillie, des arbres morts. Je m'arc-boute des pieds aux troncs, tire, pousse, progresse péniblement en me contorsionnant comme un saumon qui monte des rapides au printemps. Tout mon corps est en mouvement. Je m'écorche les genoux, me déchire les mains. Je m'agrippe fermement à la falaise avec l'énergie du désespoir. Je ralentis. Toujours à quatre pattes, je lève la tête. Je prends conscience tout à coup que je connais cet endroit. Et là ! Je sais exactement où je suis !

— Oui ! Oui ! C'est ça, c'est le vieux sentier.

Je me lève en m'aidant d'un arbre sec. Une ligne est tracée devant moi, un étroit corridor qui monte entre les épinettes serrées. Une neige toute blanche marque la voie sur le sol. Ici, mes pieds ont prise sur les roches plates et les racines noueuses qui sortent de terre me servent d'appui. Je ne vois plus très bien. Je m'essuie les yeux du revers de mon *makinaw*[1] trempé comme une lavette. Je cherche un refuge comme une bête sauvage apeurée, grièvement blessée. À bout de force, je débouche sur une clairière où est installée une cabane.

Ce que j'ai vu cet été du haut des airs existe vraiment.

Je me lance à l'assaut des derniers pieds. Je voudrais courir, me précipiter vers ce refuge qui miroite devant moi, comme un mirage, mais mes jambes ne m'obéissent plus. J'arrive à peine à poser un pied devant l'autre.

Je suis lourd, engoncé comme dans un scaphandre, mes pensées s'enlisent dans un enchevêtrement de branches, d'arbres et de verglas.

— Et si la porte était cadenassée ? Je n'irais pas plus loin. Non ! Je m'écroulerais là, sur le pas, prisonnier de ma carapace de glace.

Je laisse tomber ma main gelée comme une masse sur la clenche.

— Elle bouge !

Je pousse. La porte résiste. Je pousse de nouveau, plus fort.

— Rien !

Il n'y a pourtant pas de cadenas. Je frappe furieusement sur la poignée qui saute sans peine. Je prends un peu de recul et laisse tomber tout le poids de mon torse contre la porte. Sous le choc, celle-ci s'entrebâille. Je coince mon épaule dans la fente étroite, me contorsionne, fais des pieds et des mains pour passer. L'ouverture s'agrandit. Je m'introduis dans la cabane entraînant mon sac dans mon dos et je ferme la porte sans peine derrière moi. Je m'effondre à genoux, et j'essaie de rassembler mes idées, de retrouver mes esprits.

Ici, je suis à l'abri du vent, de la neige, du froid intense.

À l'arrêt, mon corps est soudainement secoué de profonds frissons que je ne peux contrôler et qui me prennent tout entier. Je m'assois sur la bûche qui barrait la porte. Je laisse tomber mon *makinaw* par terre. Je m'arrête pour laisser passer les tremblements qui me labourent le corps. J'enlève ma chemise mouillée, collée comme une sangsue à ma peau. Je fais voler l'une après l'autre mes grosses bottines de cuir à moitié lacées, que j'enfile le matin comme des bottes. Cela me rappelle ma mère qui me disait :

— Pierre, attache tes lacets jusqu'en haut, tu as l'air d'un paresseux attriqué[2] comme ça.

Je ne l'écoutais pas. Ça faisait viril et c'était plus pratique ainsi.

Je descends d'une traite mon pantalon, mes sous-vêtements et mes bas de laine. J'essaie de faire jouer mes orteils, mes chevilles afin de bouger mes pieds. Je ne ressens rien. Je suis gelé.

Mon corps humide luit dans la pénombre, nu comme un tremble qu'un bûcheron vient d'écorcer au printemps. Je me frictionne les épaules, les bras, l'estomac... J'ai la chair des cuisses et des fesses dure et froide. Mes dents claquent sans arrêt. Mon cœur tremble violemment dans ma poitrine. Je ne tiens plus en place sur la bûche. Je tire mon sac de couchage en forme de momie de mon équipement de survie et l'enfile comme une combinaison. Je m'enfonce dans le duvet moelleux et doux. Je bascule le capuchon sur ma tête, emprisonne la goutte de chaleur qui reste dans mon corps, me croise les bras sur l'estomac, les mains coincées sous les aisselles, plié en deux, le front appuyé sur les genoux :

j'ai le vertige et des haut-le-cœur. Je me sens tournoyer comme une perdrix abattue en plein vol. Je l'entends crier à tue-tête. Un cri strident qui déchire mes tympans. Les frissons me secouent toujours. Je bascule dans un immense trou noir qui m'aspire comme un copeau de bois dans des remous qui siphonnent l'eau blanche au pied des cataractes.

Dans l'eau soyeuse jusqu'aux genoux, je m'amuse à faire naviguer un petit canot en écorce de bouleau que mon père m'a offert à mon anniversaire. L'eau est fraîche et mes pieds nus s'enfoncent dans le sable fin. Je suis loin, loin sur une grande rivière toute bleue :

— Pierrot ! Pierrot !

C'est la voix puissante de mon père. Il est à ma recherche. Mon chien arrive en trombe, aboie, frétille de la queue, se précipite à l'eau, m'éclabousse.

— Pierrot ! Pierrot !

Je prends mon canot et je m'empresse de regagner la rive. Mon père m'empoigne de ses grosses mains d'ours. C'est un géant. Sa tête ronde, souriante, se découpe haut dans le ciel bleu. Il me soulève comme une plume prise dans le vent, me lance au bout de ses bras. Je tournoie, des fourmis dans le ventre, le cœur dans la gorge. Je ris aux éclats. Il me fait atterrir à califourchon sur ses épaules :

— Viens, fiston. Il y a ce matin quelque chose que tu ne dois pas manquer.

Juché haut, je me penche pour ne pas me frapper la tête aux branches des gros pins rouges qui bordent le sentier. Des deux mains je m'agrippe au large front de mon père. Nous avançons rapidement vers le poste de la Baie d'Hudson, car mon père fait de grands pas. De ma tour, je vois très loin. Il y a déjà des hommes massés sur le grand quai et des femmes rassemblées à l'écart sous les arbres. Le gérant et sa femme ont mis leurs beaux habits du dimanche. Ils attendent sagement sur le perron du magasin. On se croirait un jour de fête. Nous nous mêlons aux hommes qui discutent, rient, se racontent des histoires. Plusieurs scrutent de temps en temps l'horizon, du côté où se lève le soleil.

— Tu ne vois rien, Pierrot ?

— Non...

Je ne sais pas trop non plus quoi chercher des yeux. Tout à coup la foule se tait. Les femmes qui étaient assises se lèvent. Les goélands quittent leur poste sur le dos rond de la grosse roche. Les corneilles s'enfuient à tire-d'aile en croassant. Elles ne sont pas contentes. Nous fixons tous l'est, muets, les yeux plissés.

— Vois-tu ? murmure mon père.

— Oui ! Oui !

Je vois au loin, au-dessus de la montagne, dans un ciel profond et sans nuage, un étrange petit point noir pas plus gros qu'un maringouin. Je l'entends susurrer. Le moustique grossit à vue d'œil, devient vite mouche, guêpe, taon, libellule. Il ne murmure plus mais ronronne jusque dans la montagne, comme un chasseur qui ronfle dans une tente la nuit.

Nous sommes tous là, ébahis, la bouche ouverte, le cou cassé, les deux mains en visière, les yeux rivés sur le gros oiseau ventru, aux longues ailes plates et rigides. L'avion perd de l'altitude, fonce dangereusement sur nous, passe au-dessus de nos têtes que nous enfonçons dans nos épaules comme une tortue quand arrive le loup. Un roulement de tonnerre nous crève les tympans. Nous nous tournons tous d'un bloc pour suivre la trajectoire de l'avion. J'ai juste le temps d'entrevoir clairement la tête du pilote qui regarde en bas. Il porte une casquette rouge à longue palette et des verres fumés. L'avion disparaît derrière les têtes effilées des arbres. Je le suis à l'oreille. Il surgit cette fois sur notre droite, décrit un court cercle porté sur l'aile gauche, entame une plongée périlleuse comme un aigle qui fonce tête première sur un poisson. La manœuvre est spectaculaire. Nous retenons notre souffle. L'appareil glisse, pique, se remet d'aplomb, accélère, lève le nez. Les flotteurs effleurent la surface ridée du lac, fendent l'eau noire comme des lames tranchantes, labourent deux sillons argentés qui miroitent. Il flotte ! Le moteur toussote, l'avion vient lourdement vers la rive. La longue carlingue jaune d'œuf brille au soleil. C'est la première fois que je vois un avion de si près. Il est saisissant, le mastodonte a belle allure. Il parade, la tête haute, comme une cane fière de sa ribambelle de canetons.

Le pilote coupe les moteurs ! Le silence est étonnant. Les gens tout autour parlent à voix basse ou se taisent, le visage fermé comme à la messe le dimanche. Le loquet claque dans l'air. Le pilote sort la moitié de son corps, pose un long pied botté sur le premier barreau de l'échelle métallique, fait glisser l'avion comme un canot léger le long du quai. Les vagues de l'amerrissage viennent *mourir en clapotis sur la grève. À terre, on entendrait voler une hirondelle. Deux hommes costauds se précipitent et attachent solidement les amarres. Il y a un moment de flottement. Deux chapeaux ronds bougent dans la cabine tandis que le pilote ouvre la porte arrière. La foule s'écarte pour laisser passer le gérant et son épouse tout en dentelles et froufrou. Le couple empesé marche au pas, bras dessus, bras dessous.*

Dans le vide apparaît un gros derrière luisant en robe noire. Il sort à reculons, se tenant maladroitement au dos du siège pour ne pas tomber. Un deuxième curé, mince et fluet comme une fougère au printemps, suit le premier de si près qu'il lui piétine le bout des doigts. Sur les planches du quai, le gros replace sa soutane, plante son crucifix noir dans sa ceinture écarlate, se retourne, sourit, donne la main au gérant, à sa femme, à notre chef Basile, et nous regarde tous. C'est un homme jovial, rougeaud, la figure ronde et tachetée de rouille comme une banique[3] poêlée. Il trace une grande croix imaginaire dans l'air pour nous bénir. Les femmes font leur signe de croix et embrassent le petit crucifix qu'elles portent toutes suspendu au cou.

C'est Mgr Schefferd qui fait sa première visite pastorale chez les Indiens. Il est accompagné d'un missionnaire, le père Cyr, que nous connaissons. Monseigneur va de l'un à l'autre, donne la main, bénit les enfants, leur pince le menton, fait des guidis. Nous sommes allés rejoindre ma mère sur le rivage, à la sortie du quai. Mon père me pose par terre. J'ai un peu le vertige. Je me tiens à son pantalon.

L'évêque voit mon père. Il vient vite vers nous et lui tend une main pâle largement ouverte.

— Bonjour, mon Paul, comment vas-tu ?

Mon père le connaît. C'est lui qui le guide à la pêche à la truite, l'été.

— Je vais bien.

— Bonjour, madame.

— Bonjour, Monseigneur.

Ma mère lui baise la main. Elle a appris les bonnes manières des Blancs chez les sœurs, au couvent de Senneterre.

— Et lui, c'est le fils. Comment t'appelles-tu, mon garçon ?

Il se penche vers moi. Il sent le renfermé, la vieille poche de patates qui a passé l'hiver dans une cave.

— …

Ma mère me pousse.

— *Dis ton nom à Monseigneur.*

— *Pierre !*

— *Hé ! C'est un saint nom ça, Pierre ! Tu es Pierre et sur cette pierre je bâtirai mon église. Et quel âge as-tu, Pierre ?*

— *Cinq ans !*

— *Cinq ans ! Déjà un géant. Et qu'est-ce que tu veux faire plus tard ? Un guide comme ton père ? Un trappeur comme ton grand-papa ?*

— *Non ! Un pilote d'avion !*

Il arrondit les yeux, plisse le front. Je vois dans le petit sourire qui court sur ses grosses lèvres qu'il ne me croit pas.

— Ben *mon* chum[4], *je te le souhaite bien.*

Il nous bénit rapidement et reprend sa tournée, suivi du chef, du missionnaire, du gérant et de sa femme. Ce qu'il ne sait pas, c'est que je vole déjà dans ma tête et mon cœur. J'ai toujours voulu être un oiseau.

Le silence est absolu, le noir total, le vide complet. Je suis mort ! J'attends longtemps sans oser bouger un seul muscle. Un avion vrombit dans ma tête.

— C'est un cauchemar !

Je respire à petits coups par les narines, plongé dans les limbes, les yeux clos, la bouche fermée. Tout doucement, je pousse l'air un peu plus loin dans mes poumons. Tout mon corps me fait mal. Avec d'infinies précautions, j'allonge peu à peu ma respiration sans rien brusquer. Je me laisse refaire surface. Mes poumons se gonflent. Je suis couché par terre, roulé en boule dans mon sac de couchage. J'ai une douleur atroce à la tête, les mains et les pieds gourds, enflés ; un goût de sang caillé dans la bouche. J'articule mes doigts, mes orteils. Je me déplie lentement, comme une couleuvre qui s'étire au soleil. J'émerge, cherche de l'air frais. Le froid me fouette la figure. J'ouvre les yeux, la bouche pâteuse.

— Qu'est-ce qui m'arrive ? Où suis-je ?

Je m'allonge enfin de tout mon long sur le dos. La tête me tourne, me tourne, me tourne. Je suis mal. Je sombre de nouveau au fond de l'eau.

2

L'ACCIDENT

— 585-1010

— Allô !

— Yvette ?

— Oui. Comment vas-tu, Pierre ?

— Bien. Je t'appelle de la base.

— Comment va Marie ?

— Très bien.

— C'est pour quand, le bébé ?

— Dans deux mois. Ce sera notre cadeau de Noël.

— Tu veux la météo ?

— Oui. Ici le ciel est bouché ce matin.

— Je viens de la recevoir à l'instant de Québec. C'est la météo de six heures.

— O.K., c'est bon.

— Pour Schefferville et la région, temps couvert, pluvieux. Vents de 20 à 30 milles à l'heure, nord-ouest. Risque de verglas et de bourrasques dans les régions montagneuses. Cette nuit et demain, température sous la normale saisonnière, de 0 Fahrenheit.

Pendant que d'une oreille j'écoute Yvette à la tour de contrôle de l'aéroport, je scrute le ciel à travers la grande fenêtre crasseuse de la roulotte qui sert de base aux pilotes de brousse.

— Ouais !... Est-ce que l'avion de Québec-Labrador en provenance de Sept-Îles est entré ?

— Oui. Tout juste à l'instant.

— Et que dit le commandant ?

— Puissant vent de queue, tout au long du vol et pluie verglaçante en certains endroits. Plafond bas, mais acceptable.

— C'est bon, Yvette. Ça se dégage un peu au nord. Je te donne mon plan de vol. D'ailleurs, c'est mon dernier de la saison. Il y a déjà une couronne de glace autour des lacs. J'ai prévu monter mon *Otter* sur ski la semaine prochaine. J'ai promis de livrer deux barils d'essence et du propane à la rivière Jumelles. Les gars en ont besoin pour cet hiver. Je décolle dans quinze minutes. L'aller prend une heure et demie de vol, je reste quarante-cinq minutes sur place, je vole une autre heure et demie pour le retour. Il est près de sept heures. Disons que je me rapporte à la tour de contrôle vers midi.

— C'est bon, Pierre. J'ai noté. Mes amitiés à Marie… Tiens, venez souper dimanche soir. J'aurai du caribou.

— O.K., je lui en parle cet après-midi à mon retour. Salut !

— O.K., bon vol !

Je m'empresse de larguer les amarres et de pousser mon vieux *Otter* au large. Je boucle ma ceinture, accroche ma montre-bracelet au manche à balai pour l'avoir sous les yeux et mets le moteur en marche. Il tourne péniblement, hésite, prend son souffle, explose et gronde. Je fais lentement du taxi jusqu'au bout du lac pour me placer vent de face. Je regarde attentivement la surface, pour m'assurer que ma piste est libre. Il vente, un vent froid et entêté d'automne qui frappe de tous les côtés. L'eau verte est agitée de vagues courtes et saccadées. J'ai l'œil sur la mince banderole claire qui n'a pas bougé à l'horizon.

Je vais aller voir de plus près. Si ça ne passe pas, je rebrousse chemin et tant pis !

Mais, on ne sait jamais, j'ai déjà vu pleuvoir à boire debout sur le lac Squaw et faire un soleil radieux de l'autre côté de la montagne.

Je prends de la vitesse : 30, 40, 50 milles à l'heure. La vieille carlingue de tôle frémit. Les flotteurs cassent durement les vagues. L'eau gicle. Je suis assis sur le bout du siège, le cou tiré comme une outarde qui cingle vers le nord, les yeux rivés sur la piste, les muscles tendus. Je pousse à plein régime, actionne les pédales, tire les puissantes commandes que je contrôle à deux mains, balance, décroche un flotteur, puis le deuxième :

— Allez mon vieux, vas-y !

Ça y est, je vole. Je le sens dans mon corps. L'hélice mord dans le vent qui nous porte. Je m'envole comme un oiseau. Mon avion et moi défions la pesanteur.

En prenant peu à peu de l'altitude, je me pointe dans la trouée. C'est passable à trois cents pieds. Je survole la tête chauve de la montagne, m'engage au-dessus des hauts plateaux de roche nue, croise les grands lacs Attikamagen qui s'étalent comme les doigts ouverts d'une main de géant. Le ciel est bas, d'un gris sale et menaçant. Le vent instable frappe de plus en plus sournoisement sans que je puisse prévoir les coups. Je me fais ballotter comme si j'étais dans les montagnes russes. Je décide alors de suivre de près le lit de la rivière De Pas. C'est ce qu'il y a de plus prudent à faire. La rivière, comme un immense boa, se love dans la taïga jusqu'à la tête des eaux du fleuve George. Une fois là, je serai tout près de la rivière Jumelles. La rivière De Pas est un point de repère et un excellent guide. Je souris. « Le diable bat sa femme. » C'est ce que disait ma grand-mère Kokum, quand il faisait soleil et pleuvait en même temps. Je mets l'essuie-glace en marche. Il balaie le pare-brise de son grand bras. Subitement le ciel se rebouche et la pluie se transforme en une giboulée qui tombe dru. Inquiet, j'étire le cou, observe avec attention l'horizon. Devant moi se dresse un mur opaque de pluie et de neige fondante.

Je décide de contourner la tempête vers la gauche et de rattraper plus loin la rivière qui, à cet endroit, fait un long méandre. Le ciel s'obscurcit comme si la nuit tombait. Je vole à l'aveuglette, me fiant à mon instinct. Tout est blanc devant, des deux côtés, en bas. Je suis dans la grisaille totale et j'attrape des poches d'air qui jouent au yo-yo avec l'avion. Je n'ai d'autre choix que de poursuivre ma course en espérant déboucher dans une éclaircie où je pourrai faire le point. Les cadrans du tableau de bord s'affolent. L'essuie-glace ne suffit plus à la tâche. La vitre se givre. Le verglas s'accumule sur les ailes, m'alourdit dangereusement. Dans les poches d'air, des plaques de glace se détachent, s'écrasent dans un bruit d'enfer sur la carlingue. Je perds sans cesse de l'altitude et je n'arrive plus à faire le point. Chargé de deux barils d'essence, de quatre bonbonnes de propane, je suis une véritable bombe volante ! Si je heurte le sol, j'explose en mille miettes. Mon seul espoir, c'est d'amerrir et de laisser passer le mauvais temps. Mais amerrir où ?

Un formidable coup de vent de côté me secoue, balaie le champ devant moi. Je bats des ailes. La brume déchirée par la tourmente s'effiloche. D'un coup entre les lambeaux de nuages, je repère une vallée étroite et, au fond, une série de cascades blanches.

— Et au bout de la rivière, c'est certainement le lac Mackay... Oui! Oui! J'en suis maintenant certain.

La lourde carapace de glace qui givre la carlingue de mon avion me tire vers le bas. Le va-et-vient incessant de l'essuie-glace trace des meurtrières dans le givrage. Je me laisse planer en suivant le flanc de la montagne, profitant de la dépression pour maintenir mon altitude et le cap. Je devine le lac. Quatre cents... trois cents... deux cents pieds.

— Non! Il est blanc, tout blanc! Le lac est gelé!... Trop tard!

Je tape sur les pédales à coups de pieds, les deux poings crispés sur les commandes qui vibrent furieusement, me secouent les bras et les épaules comme si je tenais un marteau-piqueur. Je m'arc-boute, pousse les gaz à l'extrême. Le vieux moteur vrombit et, dans un ultime effort, crache tout ce qui lui reste de puissance. La carlingue frémit comme une colonne vertébrale parcourue d'un profond frisson. Le nez se relève légèrement. Le ciel et le sol se confondent. J'amerris comme une outarde frappée de plein fouet par une volée de plombs : les ailes déployées, le bec en l'air, les pattes palmées tout ouvertes devant pour amortir la chute.

— Je suis trop lourd ! J'entre trop vite ! Beaucoup trop vite ! L'approche est trop raide !

L'avion heurte le lac comme un puissant coup de masse sur l'enclume du forgeron. Le choc est brutal. Les flotteurs crèvent la glace. Le ventre rond et lisse de la carlingue tape dans l'eau qui jaillit. Le *Otter* laboure, bondit. Je suis projeté durement dans les courroies de ma ceinture de sécurité. Une forge rouge gronde dans ma tête. Je sombre dans le noir.

3

LA LETTRE

La tempête, le verglas, le *crash*, l'eau glacée, la course folle dans la montagne, la cabane... la porte... la porte coincée...

Les mains et les genoux me brûlent. C'est la nuit. Je n'entends rien. J'ai l'impression d'être dans une caverne.

— Marie! Marie! Elle doit s'inquiéter. Je ne suis pas rentré à la maison. Quelle heure est-il? Depuis combien de temps suis-je ici? Je me suis assis sur la bûche. J'ai perdu connaissance. Je suis tombé sur le plancher.

Le vent s'est tu. La cabane est immobile et silencieuse comme un bloc de granit. Mes yeux s'habituent au noir qui pâlit. Je vois les traits sombres de la charpente de bois de mon abri. C'est miraculeux.

Je suis sorti juste à temps du *Otter*. Mon avion est probablement déjà au fond du lac. J'aurais pu être entraîné avec lui.

Je pose une main sur la bûche pour m'aider à me relever, puis je m'assois dessus. Le froid est sec, alors je m'enfouis vite dans mon sac de couchage. Un rayon de lune filtre par la fenêtre rectangulaire et inonde la pièce de reflets argentés. Le silence est solennel, comme dans une chapelle ardente. Tout est en ordre dans cette cabane, figé, comme si le trappeur avait tout rangé avant de partir.

La cabane est rectangulaire, étroite. Je vois au fond un petit poêle en tôle de la Compagnie de la Baie d'Hudson, comme ceux que les Innus utilisent dans les tentes. Le tuyau monte droit, perce le toit. Des casseroles sont accrochées au mur ou posées par terre, près d'une petite corde de bois de chauffage.

J'ai ce qu'il faut pour faire un feu, comme si mon arrivée était prévue.

Un nuage voile la lune et me plonge dans le noir. J'attends qu'il passe. La lumière revient, plus jaune et mystérieuse.

Je tourne un peu la tête. Mon cœur fait subitement un tour. Je respire profondément sans bouger d'un pouce, le regard fixe.

Je ne suis pas seul dans la cabane.

J'ai l'impression d'apercevoir une personne allongée sur une banquette, le long du mur opposé. Sous une couverture, je devine les formes : des pieds, des genoux… un corps ! Un autre nuage passe. J'attends, saisi.

— Qui est-ce ? Probablement un vieux trappeur mort de maladie, de vieillesse ou à la suite d'un accident. J'ai souvent entendu des histoires d'ermites morts, seuls, sur leur ligne de trappe.

Je comprends maintenant pourquoi la porte était barrée de l'intérieur. Il s'est enfermé lui-même avant de mourir. La lumière revient graduellement, comme si je montais la mèche d'une lampe à huile. Je ne me suis pas trompé : des pieds, des genoux, le bassin, une tête. La peau cuivrée collée sur des pommettes rondes luit sous les rayons de la lune. Les yeux sont d'insondables trous noirs. Les mains entrelacées sur son estomac sont blanches, squelettiques. J'ai la gorge sèche, nouée.

C'est un mort, rien qu'un mort. Il n'y a pas de danger. Il ne me veut certainement pas de mal. Mais la mort fait peur, surtout de si près. Je me calme lentement. Les morts sont moins dangereux que les vivants.

Mais je reste impressionné.

D'une main, je tiens mon sac de couchage sur ma poitrine et, de l'autre, je rapproche la bûche. Je me rassois dessus en ramenant mes genoux sous la table. Je suis un peu plus haut que le squelette. Ses dents ivoire miroitent. Je soulève mon sac de survie posé au milieu de la table. Je découvre du même coup une petite boîte cachée en dessous.

Je fouille tout de suite dans la poche latérale de mon sac, en tire un sachet en plastique dans lequel je garde quatre chandelles de secours et une poignée d'allumettes de bois. Je saute à cloche-pied et m'agenouille face au petit poêle, torse nu. Le froid me saisit, me court dans le dos et sur la poitrine. La porte grince dans le silence. Je dépose sur la cendre une poignée de brindilles que je couvre d'éclisses. Je frotte une allumette sur la tôle rugueuse. Le soufre éclate. J'allume. Les petites branches sèches fument, se tordent, se parsèment de tisons rouges et de flammes bleues qui vibrent, chancellent, meurent, et renaissent tout à coup. Je souffle tout doucement dessus… Paf! Elles s'embrasent. Le feu jaillit. Les flammes jaunes s'allongent. Je ferme lentement la porte, j'ouvre la tirette. L'air s'engouffre. Le poêle chante. Le tuyau gronde. Une odeur de fumée se répand dans la cabane. Je me sens déjà mieux.

Je reste prostré, les yeux rivés sur les éclats de feu qui filtrent des fissures du vieux poêle, l'esprit totalement vide, drapé dans ma momie verte comme un Bouddha en méditation. J'enfourne alors de grosses bûches sur le lit de braises. Une chaleur bienfaisante m'enveloppe et se répand dans la cabane. Je retourne m'asseoir. La petite boîte luit dans le halo de la chandelle. C'est un coffret léger, les côtés assemblés en queue d'aronde. Le couvercle est orné d'une feuille d'érable profondément sculptée dans le bois tendre. J'ouvre tout doucement les loque-teaux en les soulevant des deux pouces. Le couvercle bascule, j'entends un déclic, quelques notes de clavecin et... une musique que je reconnais tout de suite :

Au clair de la lune
Mon ami Pierrot.
Prête-moi ta plume
Pour écrire un mot.
Ma chandelle est morte
Je n'ai plus de feu.
Ouvre-moi ta porte
Pour l'amour de Dieu.

J'entends quelques notes discordantes, un déclic, puis rien que le bois qui crépite dans le poêle. Bouleversé, je referme le couvercle. Le mécanisme se remonte. J'attends un peu et, sceptique, j'ouvre de nouveau et fredonne dans ma tête, cette chanson que je connais depuis toujours :

Au clair de la lune
Mon ami Pierrot...

Je dépose le coffret sous la lumière. Du bout des doigts, j'en sors un encrier vide, une plume au long manche pointu en bois verni, comme celle que j'avais à l'école quand j'étais petit, et des feuilles pliées en trois volets. Je déplie la liasse. Les feuilles sèches sont couvertes d'une écriture fine. Les lignes sont droites, les lettres rondes, bien alignées. J'approche la première feuille de la chandelle et je lis.

Cher étranger, vous arrivez trop tard. Je suis morte !

Je relis attentivement pour m'assurer que je ne me suis pas trompé : « Je suis morte ! »

— Morte ! Le squelette allongé devant moi sur la banquette est une femme ! J'étais convaincu d'être en présence du cadavre d'un vieux trappeur.

Je reprends ma lecture.

Cher étranger, vous arrivez trop tard. Je suis morte ! Rassurez-vous, ce n'est pas un reproche que je vous fais. Vous n'y êtes pour rien. Je vous souhaite la bienvenue dans ma modeste demeure. J'ai tout mis en ordre pour bien vous recevoir. Cette lettre vous est destinée. Elle contient le récit de ma vie, mon testament et surtout mes dernières volontés que je vous demanderais de bien vouloir respecter.

Christophe avait vingt-deux ans, j'en avais vingt. Je ne me voyais pas vivre sans lui. La vie n'avait de sens que l'un avec l'autre. Je terminais cette année-là mon École normale, j'avais reçu mon brevet d'enseignement. En septembre j'allais être maîtresse à la petite école du village, la même que nous avions fréquentée, Christophe et moi, dans notre enfance. Lui travaillait dur avec son père à la ferme. Nous avions déjà un bout de terre à nous. Notre mariage était prévu le même automne à l'église du village quand tout à coup, une simple missive livrée un bon matin par le facteur a tout fait basculer. Mon amoureux devait se rapporter dans les jours suivants à la base militaire de Saint-Jean. On le réclamait sous les drapeaux. La guerre faisait rage en Europe. Il devait s'enrôler dans le Royal 22e régiment puis, être envoyé au front. Il n'avait pas le choix. C'était la conscription ! Le recrutement obligatoire des Canadiens français. Christophe n'était pas un militaire. Non ! C'était un homme doux comme un agneau, un fils de cultivateur. Tous les jeunes du village qui s'étaient enrôlés de gré ou de force n'étaient pas revenus. Ils étaient morts au front. Et cette terrible guerre qui se déroulait de l'autre bord, dans les vieux pays, n'était pas la nôtre. Sa mère était affolée, son père désemparé. Nous sommes accourus au presbytère pour demander l'aide de Dieu et du curé. Il nous a rassurés, nous a demandé d'attendre patiemment, de lui laisser le temps d'intervenir. Il allait parler à son ami le député.

La semaine suivante, quatre colosses anglais en uniforme kaki sont arrivés comme des bulldogs affamés dans une Jeep de l'armée. Ils cherchaient « Mister Christopher Bienvenue » qui manquait à l'appel. Il était avec son père au premier étage de la grange, dans la tasserie. Ils les ont vus arriver, les têtes rasées, les épaules carrées, arrogants. Christophe s'est caché dans les balles de foin. C'est madame Bienvenue qui a ouvert la porte. Elle a tout de suite compris.

— Gone by the train… the train…, leur dit-elle. Gone ! Christophe parti to Montreal ce matin… this morning, gone.

Et elle faisait signe qu'il était parti très loin.

— Tchou ! Tchou ! Tchou ! Train…

Ils ont quand même fouillé la ferme de fond en comble, puis ils sont partis.

À la nuit tombante, mon amoureux est venu me voir en se faufilant à l'orée du bois, comme un coyote qui ne veut pas être vu.

Il voulait rejoindre d'autres jeunes comme
lui, des amis, qui se cachaient dans la montagne, vivant dans la peur, la solitude, la
misère. La police militaire les pourchassait
comme des bêtes, les traquant avec des ber-
gers allemands féroces. Je ne voulais à aucun
prix me séparer de lui. Nous avons fait nos
valises, rassemblé tout ce que nous avions
d'argent, et nous sommes partis tous les deux
malgré la peine que nous faisions à nos
parents. Nous avions promis de leur écrire
toutes les semaines, de leur envoyer notre
adresse. Nous avons pris le train au village
pour la grande ville de Montréal, que je
connaissais un peu pour y être allée deux
fois. Nous avons loué une petite chambre à
l'hôtel de la Gare. Mais il y avait trop de
monde, trop de bruit, et des policiers partout
qui patrouillaient jour et nuit. C'était in-
fernal. Nous avons repris le train jusqu'à
Québec pour mieux nous cacher. Nous
faisions comme si nous étions des amoureux
en voyage de noces, mais au fond de nous-
mêmes, nous nous sentions poursuivis,
espionnés. À Québec aussi c'était très inquié-
tant. La ville fourmillait de militaires. Un
bon matin, tôt, Christophe s'est rendu au
port. Il a trouvé une goélette qui descendait

le fleuve jusqu'à Sept-Îles. Le vieux capitaine a tout de suite compris. Il nous a pris comme passagers clandestins. Christophe aiderait aux manœuvres, moi à la cuisine. Nous avons vécu une semaine merveilleuse, une véritable lune de miel sur l'eau. Ce furent parmi les plus beaux moments de notre courte vie. Je n'avais jamais vu de paysages aussi majestueux. Je suis tombée en amour avec ce fleuve immense, époustouflant, parsemé d'îles couvertes de roche et de verdure, bordé de falaises abruptes et de forêts sauvages. Le capitaine connaissait toutes les baies, tous les petits villages qu'il nommait et décrivait de sa voix chaleureuse : Petite-Rivière-Saint-François, Les Éboulements, l'Île-aux-Coudres, Baie-Saint-Paul, les islets Jérémie, Tadoussac... Il les connaissait tous, récitait leurs noms comme les strophes d'un poème d'amour. C'était un amant du fleuve. Il nous montrait en riant les marsouins blancs comme du lait, les grosses baleines bleues, les phoques gris, toujours debout, droit comme un mat sur le pont d'un grand voilier. Il les louangeait, sérieux, les yeux portant loin au large, avec prestance, la main largement tendue vers l'horizon. Il bombait le torse. Sa voix portait sur l'eau. Il me faisait penser à mon grand-père Ernest, tout endimanché, chantant la grand-messe, à l'office de onze heures, le jour du Seigneur. Christophe et moi en avions plein les yeux et le cœur de tant de beautés et d'un tel flot de mots vibrant d'amour et de passion.

Insouciants, nous étions follement amoureux et heureux sur la goélette. Je pensais au grand explorateur, Jacques Cartier, qui a été le premier Européen à naviguer sur ce fleuve. Comme il a dû être émerveillé par toutes ces beautés sauvages !

C'est à regret que nous avons débarqué sur le grand quai de Sept-Îles. Là aussi, il y avait des militaires, mais le capitaine les connaissait. Il est intervenu pour leur dire que j'étais la maîtresse d'école envoyée par le département des Affaires indiennes pour enseigner aux petits sauvages de la rivière Moisie et que mon mari, Christophe, allait caboter avec lui. Ils ont fouillé mes bagages et trouvé des dizaines de livres. Je leur ai aussi montré mon brevet de l'École normale. Ils nous ont crus. Le capitaine nous a installés au village montagnais, dans la cabane de son vieil ami Joachim St-Onge. À la fin du mois d'août, les Montagnais, qui se préoccupaient peu de la guerre, faisaient leurs bagages et partaient en famille pour leur territoire de chasse situé plus au nord. Le vieux Joachim, veuf, sans enfant, déplorait de ne plus pouvoir voyager. Il nous disait :

— Seul, je suis comme un vieux caribou qui a une patte cassée.

Il s'enflammait lorsqu'il parlait de ses lacs, de ses rivières, de ses montagnes. Ses yeux pétillaient comme des éclats de soleil sur la mer. Il répétait :

— C'est là-bas qu'un chasseur mérite de mourir, pas ici.

Je l'écoutais parler de son territoire et je souriais de bonheur. Et moi, je revoyais papa assis au bout de la grande table dans la cuisine d'été, la chemise ouverte, les manches roulées, la figure rouge, brûlée par le soleil qui plombe dans les champs. Il nous racontait la naissance du dernier veau qu'il avait lui-même sorti du ventre de Caillette, sa meilleure vache, et il nous parlait de l'abondante récolte de blé d'Inde, des épis gros comme l'avant-bras. Pendant ce temps, Marguerite et moi, les aînées, faisions le service avec maman : d'énormes plats de patates fumantes, surmontées d'une motte de beurre barattée maison, une montagne de saucisses de porc... pour Hugo, Félix,

Antoine, Rosalie, Pascale, Flore qui avaient toujours une faim de loup... Joachim aimait son territoire comme mon père sa terre. Papa aurait très bien compris Joachim lorsqu'il parlait de la terre mère qui nourrit les humains et leur donne la vie.

Christophe et moi, sans hésiter, avons dépensé tout ce qui nous restait pour acheter un canot, de la farine, de la graisse, du lard, du thé, des outils, et un bon matin, nous sommes partis, avec Joachim, pour les territoires d'en haut. Joachim, le vieux sage, notre ami et notre guide, avironnait sur la Mishtashipu ou marchait lourdement chargé dans les portages comme un jeune homme de vingt ans. Il avait retrouvé toute sa vigueur d'antan.

Le premier hiver, nous avons vécu sous la tente. Joachim chassait, pêchait. Christophe abattait des arbres. Le vieux chasseur m'a montré à tendre des collets à lièvre. Je faisais la tournée à tous les deux jours, cuisinais comme une vraie Montagnaise, m'habituais à ma nouvelle vie. J'étais heureuse, car je la partageais avec Christophe. C'était un homme fort, vaillant. Il se plaisait dans la forêt. Il s'est vite découvert une âme de bûcheron et de coureur des bois. Dès la fonte des neiges, il a commencé à construire notre cabane avec les billots qu'il avait coupés tout l'hiver. Il avait hâte qu'elle soit terminée. Un jour, c'était le 24 juin, le jour de la Saint-Jean. Il m'a appelée :

— Anne ! Anne ! Viens !

Je suis vite sortie de la tente. Il m'a soudainement soulevée de terre dans ses bras musclés et m'a portée jusque dans notre maison. Surprise, je riais aux larmes. Ça a été merveilleux. Pour la première fois depuis notre départ du village, j'ai senti au plus profond de moi-même que nous étions mari et femme, unis pour la vie.

Les choses ont commencé à se gâter à l'automne. Nous avions épuisé notre réserve de nourriture. La chasse n'était pas bonne. Le caribou avait fui la région. Les collets restaient vides. Il n'y avait plus de perdrix, plus de porcs-épics. Le chasseur revenait bredouille. Christophe a commencé à tousser. Il faisait comme si de rien n'était, mais je savais qu'il était malade. Je m'inquiétais pour lui. Il crachait en cachette une salive épaisse, noire comme du tabac à chiquer. Joachim lui préparait des tisanes d'écorce de mélèze. C'est le seul médicament que nous avions. Un soir, le vieil homme nous a dit que les mauvais esprits s'étaient emparés de la montagne. Selon lui, Christophe souffrait de la famine, une maladie terrible et contagieuse qui nous affectait nous aussi. Il connaissait bien la piste du Nord qui mène au territoire de Nessipi[5], au grand lac Champdoré. C'est un carrefour vers la baie d'Ungava. Il y a toujours des chasseurs dans cette région. Il comptait y aller et revenir rapidement avec des provisions et de l'aide. Il a pris un charbon près du poêle et tracé une carte sur le mur en nous disant qu'elle pourrait un jour être utile.

À un moment de grande misère, Joachim s'est fabriqué un petit tambour et s'est mis à le battre du coucher au lever du soleil. Christophe et moi l'écoutions en silence, fortement remués, avec l'impression en nous-mêmes qu'il se passait quelque chose de mystérieux, d'insaisissable, dans la montagne. Nous restions allongés côte à côte dans notre lit étroit, en nous tenant par la main, les yeux curieux, grands ouverts dans le noir. Nous n'osions pas dormir. Je me redressais parfois, pour regarder par notre fenêtre, vers la tente de Joachim, montée au fond de la clairière. Je voyais alors ce qui m'apparaissait être des ombres se mouvoir sur la toile. Joachim, infatigable, jouait et chantait assis devant son feu, tenant son tambour haut dans les airs, comme le curé du village quand il célèbre l'Eucharistie. Je me recouchais songeuse, intriguée. La nuit de son départ, Joachim a de nouveau battu la peau sensible de son tambour. Les vibrations lentes, sourdes, solennelles nous bouleversaient. Elles voyageaient dans toutes les directions, de tête d'épinette en tête d'épinette, toujours plus loin et plus fortes, résonnant dans la montagne et sur le territoire tout entier, comme si elles sonnaient le glas.

Christophe, affaibli, parlait peu. Pour la première fois de notre vie, nous avions l'impression tous les deux d'être en communion intime avec la nature et que la terre et le ciel avaient aussi des oreilles pour entendre, des yeux pour voir, des mains pour toucher et un cœur pour aimer et parler.

Au petit matin, notre ami Joachim est venu nous faire ses adieux. Sa vieille figure froncée par des années de vent, de pluie, de soleil, de joies et de peines, m'est apparue à la fois triste et radieuse. Ses petits yeux ronds de gros ours noir, sous des sourcils hirsutes, flambaient de fièvre. Le voyant, je lui dis :

— Cher Joachim, Christophe et moi avons écouté vibrer ton tambour réconfortant toute la nuit, mais nous n'avons pas une seule fois entendu ta belle voix…

Et il m'a répondu sur un ton grave, ses deux mains osseuses, rongées par la faim et l'aviron, posées à plat sur sa poitrine :

— Anne, le plus beau chant est celui qui ne se chante pas à haute voix. Il est destiné à soi-même et au grand Créateur de toutes choses, aux esprits de nos Ancêtres, aux caribous et aux loups, aux arbres et au soleil, aux aigles et aux oies sauvages, aux ruisseaux et aux rivières, car nous leur devons la vie.

J'ai compris que les battements du tambour de Joachim étaient une prière d'action de grâces. Sans hésiter, dans un geste d'amour, je lui ai passé autour du cou mon chapelet béni par notre Saint-Père le pape à Rome. C'est le chapelet à petite croix d'argent que ma marraine, Lorenza, m'avait offert pour ma première communion. Le vieil Innu a tressailli. Ses lèvres tachées de bleu se sont mises à trembler.

Chaque jour, il m'avait appris un mot nouveau en indien. Le premier qu'il m'avait enseigné est resté à jamais gravé dans ma mémoire. C'est Tshinashkoumiten. J'espère que vous aussi vous ne l'oublierez jamais, il veut dire merci beaucoup.

Joachim nous a largement souri à travers de grosses larmes claires qui mouillaient ses yeux et ses joues ravinées. Il a murmuré :

— Tshinashkoumiten !

Je lui ai répondu :

— Tshinashkoumiten !

Il nous a serrés dans ses bras puis avec son couteau croche, ses raquettes à neige, sa petite hache, une poignée de thé et son gobelet, il est parti sur le sentier tracé par son destin, nous laissant Christophe et moi suivre le nôtre. Nous avons poussé la porte la mort dans l'âme, espérant que nos routes se croiseraient de nouveau. C'était, il me semble aujourd'hui, trop demander à la vie.

Christophe s'est alité malgré lui. Je veillais à ses côtés. J'épongeais son corps ruisselant, brûlant. Tôt le matin, je visitais mes collets. C'était notre seule source de nourriture. Je prenais un lièvre de temps en temps. Plus souvent qu'autrement il était maigre et goûtait le sapinage. Je suppliais la bonne sainte Anne, ma patronne, de nous venir en aide, de protéger Joachim, de lui donner la force de poursuivre sa route. J'ai promis de faire plusieurs neuvaines à Sainte-Anne-de-Beaupré mais j'étais inquiète.

La nuit, Christophe délirait. Il parlait à son père, à sa mère. Il s'excusait de les avoir abandonnés. Il criait en gesticulant :

— Non ! Non ! Je ne suis pas un lâche ! Je ne suis pas un déserteur ! Anne ! Anne, mon amour, tu leur diras que je ne suis pas un lâche. Je ne veux pas faire la guerre. J'aime mieux me laisser mourir au fond d'une tranchée que de tirer sur un homme.

Il cachait sa mince figure ruisselante dans ses mains osseuses et pleurait comme un enfant.

Sa douleur me fendait le cœur. J'ai puisé au fond de moi-même une force que je ne me connaissais pas. J'avais peu de consolation. Je me réfugiais dans la prière et la poésie. Je n'avais qu'un livre avec moi, un seul. C'est dans une grande tristesse que j'avais abandonné tous mes manuels à Sept-Îles. Il fallait se limiter à l'essentiel et ils auraient été encombrants et lourds à portager. Je n'avais cependant pas pu résister à une tentation : J'avais gardé précieusement caché dans ma poche un petit recueil de poèmes d'Alfred DesRochers que ma grande sœur m'avait offert lors de ma graduation. Je ne pouvais pas m'en départir. Ça aurait été commettre un sacrilège.

Je peux réciter tous les poèmes de ce recueil par cœur, mais je ne me lasse jamais de les lire et de les relire. Chaque fois, je les médite, découvre de nouvelles images, vis de nouvelles émotions. Mon esprit s'envole. Je lis avec les yeux de mon cœur ces belles strophes pleines de musique, de force, d'odeur des grands arbres, de foin vert et de terre neuve. Elles me font penser à ces longs sillons bien droits que mon père labourait à la charrue tous les automnes dans la terre noire et humide de notre ferme.

Dans les moments d'accalmie, quand sa fièvre tombait mystérieusement comme tombe le vent après la tempête, Christophe me demandait :

— Anne, mon amour, lis-moi mon poème de ta belle voix.

Je m'assoyais à la tête du lit, adossée au mur. Il posait sa tête pâle sur mes cuisses et je lui lisais :

— « Je suis un fils déchu… »

Il fermait les yeux. Son cœur se reposait sous ma main posée sur son estomac. Je lisais jusqu'à ce qu'il s'endorme et je m'assoupissais à mon tour, épuisée, mais heureuse d'avoir pu soulager notre douleur.

Le jour de Noël, j'ai pris un lièvre. C'était un cadeau du ciel. Il a refusé de manger. Ses yeux profonds, décharnés, palpitaient comme le fait l'étoile Polaire. Il m'a regardée, débordant d'amour et de tendresse. Il a souri et m'a dit :

— Anne, sois courageuse. Je vais mourir. Adieu…

J'ai serré ses mains froides dans les miennes. Il a fermé les yeux et soupiré pour la dernière fois. Je suis restée de longues heures assises à ses côtés, brisée, prise d'une douleur profonde. En même temps, je me consolais en me disant qu'il était désormais au ciel, libéré de la douleur de son corps. Il est certainement au paradis pour avoir autant souffert et tant aimé. Mon corps s'est affaissé. J'ai posé ma tête sur sa poitrine, mes épaules se sont mises à trembler puis j'ai été secouée des pieds à la tête. De grosses larmes chaudes ont coulé sur mes joues desséchées comme des feuilles mortes et j'ai pleuré toutes les larmes de mon corps jusqu'à m'épuiser totalement.

J'ai veillé Christophe toute la nuit. Au petit matin, j'ai roulé les couvertures autour de son corps et je l'ai déposé à l'abri dans l'appentis derrière la cabane.

J'ai survécu toute seule jusqu'au printemps, vivant de presque rien. Un jour, je me suis faite à l'idée que Joachim ne reviendrait pas. Il était trop tard. J'ai eu beaucoup de peine. C'est comme si mon grand-père était mort. Dès que j'ai pu remuer la terre, j'ai mis plusieurs jours à creuser deux fosses l'une à côté de l'autre, là où Christophe et moi aimions tant nous asseoir pour nous reposer au moment où le soleil se couchait dans un silence et une sérénité imposants. J'ai empierré mon compagnon dans une fosse. L'autre est pour moi.

Avant d'être à bout de force, j'ai entrepris d'écrire cette longue lettre posthume : pour remercier le bon Dieu pour tout ce qu'il nous a donné — il a parsemé ma vie de défis, de douleurs et de joies — pour remercier mes parents et m'excuser auprès d'eux des souffrances que je leur ai causées ; pour dire aux parents de Christophe que leur fils est mort en héros au champ de bataille de la vie ; et enfin, à vous cher ami, maintenant que vous connaissez ma vie, pour vous demander d'exécuter mes dernières volontés. Je voudrais en premier lieu que mon corps repose auprès de celui de mon compagnon de vie. Mon esprit va errer dans cette cabane et n'aura de paix que lorsque nos corps seront unis dans l'intimité de la terre, comme nous l'avons été dans la vie. En deuxième lieu, je veux que l'on sache que Christophe était un homme brave et que si nous avons fui la guerre, c'est au nom de l'amour. Si c'était à refaire, nous n'hésiterions pas à recommencer.

Seule dans la forêt, comme un ermite dans le désert, loin de la civilisation, j'ai laissé battre mon cœur à son rythme. J'ai médité. Dans cette profonde et réconfortante solitude qui m'habite maintenant, je sais que j'ai, au cours de mon passage sur terre, eu l'immense privilège d'avoir aimé de tout mon être et d'avoir été aimée avec la même intensité.

Cher ami, sachez que mourir de faim est une mort atroce. Je donnerais beaucoup en ce moment ultime pour avoir la force, l'encre et le papier pour vous écrire pendant des heures et des semaines et des mois. J'aurais tant de choses à vous dire, mais je n'ai plus rien. Adieu !

Cette lecture me bouleverse. Je reste cloîtré dans l'univers de la lettre qui m'habite tout entier. Je suis ému. J'ai commencé à la lire avec assurance, de ma voix intérieure et, à mon insu, elle s'est transformée jusqu'à devenir une voix féminine. J'ai cessé de lire pour ne plus entendre que le timbre cristallin et soyeux d'Anne. Elle m'a parlé de sa vie. Sa main délicate et impatiente a frôlé la mienne. Ses yeux ont lu par-dessus mon épaule. Son souffle tiède a chatouillé mon cou. Elle est toujours présente dans cette cabane construite dans la taïga.

— Anne! Anne! Je peux maintenant nommer cette femme.

Je prends le livre au fond du coffret, le retourne délicatement entre mes doigts.

C'est la première fois que je tiens un recueil de poésies dans mes mains. Je ne suis même pas certain de savoir ce que c'est que la poésie. C'est un grand mot sombre, mystérieux.

La couverture brune luit comme un vieil habit de soirée usé. Plusieurs pages gonflées sont détachées, racornies. Ce livre a dû beaucoup servir. Je lis le titre : *À l'ombre de l'Orford*, d'Alfred DesRochers[6].

J'ouvre le recueil avec précaution. Il est dédicacé à l'encre bleue d'une écriture finement crochetée. Les longues majuscules s'épanouissent en crosse de violon :

Ma chère Anne, petite sœur de mon cœur, c'est en gage d'amour et d'estime que je t'offre ce recueil de poésies d'un poète de chez nous. Je suis certaine qu'il saura te toucher et meubler tes moments de solitude.

Ta grande sœur Marguerite.

Je vais à la table des matières. Mes yeux tombent sur «Je suis un fils déchu», page 35. Poème préféré de Christophe :

Je suis un fils déchu de race surhumaine,
Race de violents, de forts, de hasardeux,
Et j'ai le mal du pays neuf, que je tiens d'eux,
Quand viennent les jours gris que septembre
                                        ramène.

Tout le passé brutal de ces coureurs des bois :
Chasseurs, trappeurs, scieurs de long, flotteurs
                                        de cages,
Marchands aventuriers ou travailleurs à gages,
M'ordonne d'émigrer par en haut pour cinq mois.

Et je rêve d'aller comme allaient les ancêtres ;
J'entends pleurer en moi les grands espaces blancs,
Qu'ils parcouraient, nimbés de souffles
                                        d'ouragans,
Et j'abhorre comme eux la contrainte des maîtres.

Quand s'abattait sur eux l'orage des fléaux,
Ils maudissaient le val, ils maudissaient la plaine,

Ils maudissaient les loups qui les privaient
                                        de laine :
Leurs malédictions engourdissaient leurs maux.

Mais quand le souvenir de l'épouse lointaine
Secouait brusquement les sites devant eux,
Du revers de leur manche, ils s'essuyaient les yeux
Et leur bouche entonnait : « À la claire
                                        fontaine » …

Ils l'ont si bien redite aux échos des forêts,
Cette chanson naïve où le rossignol chante,
Sur la plus haute branche, une chanson touchante,
Qu'elle se mêle à mes pensers les plus secrets :

Si je courbe le dos sous d'invisibles charges,
Dans l'âcre brouhaha de départs oppressants,
Et si, devant l'obstacle ou le lien, je sens
Le frisson batailleur qui crispait leurs poings
                                        larges ;

Si d'eux, qui n'ont jamais connu le désespoir,
Qui sont morts en rêvant d'asservir la nature,
Je tiens ce maladif instinct de l'aventure,
Dont je suis quelquefois tout envoûté, le soir ;

Par nos ans sans vigueur, je suis comme le hêtre
Dont la sève a tari sans qu'il soit dépouillé,

Et c'est de désirs morts que je suis enfeuillé,
Quand je rêve d'aller comme allait mon ancêtre ;

Mais les mots indistincts que profère ma voix
Sont encore : un rosier, une source, un branchage,
Un chêne, un rossignol parmi le clair feuillage,
Et comme au temps de mon aïeul, coureur
                                              des bois,

Ma joie ou ma douleur chante le paysage.

Je relis, fasciné, en me laissant emporter par les mots, les phrases.

Je remets le livre à sa place, avec la lettre, et referme doucement l'écritoire. Le poêle se meurt. Le froid gagne du terrain. Je m'empresse d'enfourner de nouveau.

4

LES ADIEUX

J'ai l'impression, avec tout ce que je viens de vivre, que je suis ici depuis une éternité. Pourtant, dès que je bouge un peu, je ressens des douleurs aiguës qui me rappellent la violence du *crash*. Mentalement, je mets de l'ordre dans mes idées pour me resituer :

Il y a eu le *crash* vers 9 h 30... J'ai perdu connaissance. Je ne sais pas pour combien de temps... une heure... deux heures... ? Je suis revenu à moi. J'ai sauté à l'eau. J'en ai des frissons juste à y penser. J'ai grimpé la montagne en me traînant à quatre pattes dans la neige et je me suis réfugié dans la cabane. Elle m'a sauvé la vie. J'étais à bout de force et d'espoir. C'était certainement vers la fin de l'avant-midi... 11 h ou midi... ? Je me suis dévêtu sans trop m'en rendre compte. Je savais qu'il fallait que je sorte de mes vêtements trempés, glacés, avant d'être transformé en bloc de glace. Heureusement que j'avais mon sac de couchage ! J'ai encore perdu connaissance pour revenir à moi dans la noirceur... probablement en soirée. La nuit tombe vite à cette époque de l'année. Et il y a eu le squelette, le coffret, la lettre, le poème et là, le jour se lève. Ça fait donc presque... vingt-quatre heures... ou plus... que j'ai donné mon plan de vol à Yvette. Elle s'est sûrement inquiétée de mon absence. Je ne me suis pas rapporté comme prévu. C'est vrai que les retards sont fréquents dans la brousse mais là, vingt-quatre heures... Les secours s'organisent, ça ne tardera pas. Les avions de reconnaissance sont basés à Goose Bay, au Labrador, c'est à côté. Et les sauveteurs ont l'habitude, ils connaissent le territoire. Pour l'instant, la visibilité est bonne... ouais ! Mais je ne connais pas la météo à Schefferville. À voir le givre qui s'accumule sur la fenêtre et le frimas qui s'incruste autour de la porte, le froid est intense. Yvette l'a bien dit : température très froide cette nuit. Elle ne s'est pas trompée. Le premier jour de recherche est crucial. Il me faut trouver une façon de signaler ma position. J'ai dévié à plus de cent milles de ma course. Je ne peux pas compter sur l'épave du *Otter*. À l'heure qu'il est, la carlingue est probablement sous l'eau, prise dans la glace et couverte de neige, invisible du haut des airs.

J'enfourne de nouveau du bois. Le petit poêle rougeoie. Le tuyau craque. La chaleur monte dans la cabane. J'ai faim, j'ai soif. Je veux panser mes plaies, me laver la figure. Heureusement, je n'ai que des blessures légères. J'ai un impérieux besoin de marcher, de me dégourdir, d'inspecter les lieux. Mais pour l'instant, je suis emprisonné dans la cabane, tout nu dans mon sac de couchage… Anne s'est couchée pour mourir, avec ses vêtements d'hiver. Sa tête décharnée est entourée du halo de fourrure de son anorak.

— À moins que…

Je contourne la table en sautillant, m'approche avec précaution du cadavre, m'agenouille et découvre sous la banquette un coffre en tôle bleu marine aux énormes pentures dorées en forme de fleur de lys.

C'est le coffre que nos parents nous achetaient au magasin général quand nous partions pour le collège. J'en ai eu un identique quand je suis parti pour l'école de pilotage, à Chicoutimi.

La clef est dans la serrure en médaillon. Je la tourne et soulève lentement le lourd couvercle. Je reconnais une odeur de naphtaline. Je lis l'inscription estampée en grosses lettres carrées sur une étiquette collée au fond :

Léon Tétreault et Fils
Magasin général
General Store
113, rue Main
Granby, Province de Québec

Et en plus petit au crayon :

Anne Gauthier
École normale de Sherbrooke

— Un véritable coffre au trésor !

Il est rempli à ras bord de vêtements qu'Anne a soigneusement lavés, pliés, rangés, comme si elle savait qu'un jour ils pourraient être encore utiles. Je prends les vêtements un à un, avec beaucoup d'égard, et les dépose sur la table. J'ai l'impression d'être suivi par le regard d'Anne. Je sors une robe d'été légère, fleurie, un long foulard frangé rouge vif en grosse laine, une paire de bas gris, une tuque rouge à pompon arc-en-ciel, une chemise en flanelle à carreaux noir et blanc, des *britches*[7] bouffantes, des *mukluks*[8] montagnais, des mitaines à pagodes brodées de perles, un manteau en peau de caribou. Le fond du coffre est tapissé d'une couverture de la Baie d'Hudson à bandes jaunes, rouges et vertes. La garde-robe est complète.

Pieds nus sur mon sac de couchage que j'ai laissé tomber à mes pieds, je m'habille gravement, comme si ces vêtements étaient sacrés. Les bas tricotés épais me vont jusqu'aux genoux. Une chaleur bienfaisante réchauffe mes pieds, monte dans mes jambes, me prend au ventre et se répand dans tout mon corps comme un doux élixir. La laine rugueuse du pantalon me râpe la peau des cuisses et des fesses. Il est un peu court, trop large à la ceinture, mais ça va. Christophe était plus costaud que moi et plus petit. Je flotte dans la chemise à carreaux. Elle a été longtemps portée, car elle est rapiécée aux coudes et élimée aux poignets. Les *mukluks* en peau sont doublés d'une fausse chaussure en feutre. J'enfile, comme un chandail, le lourd anorak style esquimau, confectionné d'une double épaisseur de peau de caribou, cuir sur cuir. Spontanément, je fourre mes mains dans la poche ventrale. Elles se rejoignent, frôlent quelque chose au passage… Surpris, je cherche au fond, à tâtons, et saisis un petit objet.

— Il y en a un autre…

Je les sors. Dans une main, je tiens un canif rouge à deux lames, usé, au manche orné d'une croix blanche. Dans la paume de l'autre largement ouverte, j'ai une pierre douce à aiguiser engoncée dans un étui en cuir brun sur lequel est gravé : « Ernest ».

Après un moment de consternation, je ferme les poings. Touché, je serre affectueusement le couteau et la pierre. Ils sont beaux. Je comprends Christophe d'avoir gardé près de lui ces objets si précieux. Je les remets dans la poche ventrale.

Je m'enfonce la tuque jusqu'aux oreilles, et m'enroule le foulard trois tours autour du cou. Les mitaines me vont comme un gant. Je sautille sur place pour me mettre à l'aise dans mon nouveau costume et je me tape dans les mains de satisfaction.

— Je suis prêt.

J'ai l'impression d'être un géant à la conquête du pôle Nord. Je pose une main sur la clenche. Je sors comme si j'entrais dans un autre monde.

— Qu'est-ce qui m'attend de l'autre côté ?

La clairière est plus petite que je l'imaginais. Saisi, je reste planté là comme une statue de plâtre sur le pas de la porte, battu par la bourrasque qui s'engouffre dans mon large capuchon et se plaque contre mes jambes pour me terrasser. Le froid cruel et cinglant me saute à la figure. La forêt tout autour est hostile. Le vent gronde comme un compresseur dans les têtes rachitiques des longues épinettes noires qui s'affolent. Les mâts squelettiques montés en faisceaux du cabanage de Joachim ont résisté au temps. Deux croix de bois, tristes et solitaires, sont plantées côte à côte à l'orée de la forêt. L'une surmonte un monticule de pierres blanchies par la poudrerie. L'autre est coincée dans un tas de roches empilées à la tête d'une dépression. Sans hésiter, je vais à l'appentis accroché au dos de la cabane et aménagé comme une remise de ferme. Il est à moitié rempli de bois de chauffage. Une petite pelle en bois, un pic pointu des deux bouts, une scie de bûcheron à lame rouillée, une impressionnante hache à équarrir et une herminette façonnée dans la racine courbée d'un arbre sont accrochés à une solive.

Je bêche à grands coups d'herminette dans le trou qui, au cours des années, s'est rempli de branches mortes, d'aiguilles et de cocottes[9] d'épinettes. Je nettoie l'étroite tranchée à la pelle jusqu'au pergélisol. La terre noire et luisante de la fosse jure avec les traînées de neige blanche. Je m'arrête enfin devant la tombe, plongé dans une profonde tristesse.

Je suis fossoyeur.

Je couvre la morte de sa robe fleurie, rabats les coins du drap et la transporte jusqu'à la fosse. Je la dépose doucement au fond. Debout à ses pieds, la tête découverte, je pose la pelle au sol et la tenant à deux mains, je m'agenouille et appuie mon front sur son long manche lisse et froid.

Je voudrais en cet instant réciter une prière. J'enlève mes mitaines. Je sors le petit livre de poésie de la poche de mon anorak, je l'ouvre au hasard et je lis :

[…] Mais les mots indistincts que profère ma voix
Sont encore : un rosier, une source, un branchage,
Un chêne, un rossignol parmi le clair feuillage,
Et comme au temps de mon aïeul, coureur
des bois,

Ma joie ou ma douleur chante le paysage.

Tout doucement, j'écarte le linceul et dépose le recueil de poésies à plat, ouvert à la page 35, parmi les ossements puis je referme le drap.

Un genou au sol, je jette à main nue la première poignée de terre dure, mêlée de neige. J'ensevelis ensuite Anne à la pelle, sans me presser. Je couvre le monticule de pierres plates et je fixe la petite croix en bois rond.

Je ne sais pas si ma prière est appropriée pour des funérailles. Je suis bouleversé jusque dans mes entrailles. J'ai récité ces quelques lignes choisies au hasard d'un poème d'Alfred DesRochers. Je suis envahi par un étrange sentiment de plénitude. Les épinettes centenaires, le sol pétrifié, les falaises de roc, les sous-bois touffus, les pies solitaires se sont certainement souvenus d'avoir un jour entendu la voix nostalgique d'une femme leur chanter, un soir de coucher de soleil flamboyant, le rosier fleuri, le chêne indestructible, le gai rossignol et le clair feuillage.

J'ai vite fait de me familiariser avec les alentours : la cabane, l'appentis, la tente, le cimetière. Je connais un sentier, celui par lequel je suis arrivé. Il mène au lac, au fond de la vallée. J'en ai découvert un second qui commence derrière l'appentis. Il m'intrigue, mais je ne veux pas m'éloigner. Je suis parfois étourdi. Je vois danser des petits points noirs dans l'air. J'ai les jambes molles et un trou

douloureux dans l'estomac. Mes vêtements sont lourds à traîner. Je me suis
épuisé à bêcher et je n'ai rien mangé
depuis hier matin. Je fais quand même
un bout… Le sentier étroit mais bien
battu se faufile entre les rochers et les
troncs de grosses épinettes enracinées
dans la montagne. Soudainement, mon
esprit s'éclaire. Des murmures soutenus,
étouffés, montent de la terre et devant
moi, une suite de cascades de mousseline blanche dégringolent la falaise en
paliers et disparaissent dans le sous-bois.
J'arrive à un plateau où l'eau noire sourd
entre les roches et les racines, et chute
dans des bassins successifs creusés dans
de grosses pierres luisantes. Un gobelet,
sculpté au couteau dans le bois dur et
tordu d'une loupe, est accroché à une
branche. Je puise. L'eau froide me gèle
les dents. Je la réchauffe dans ma bouche
et l'avale. Elle me réconforte, mais la
faim me harcèle maintenant sans arrêt.
Je rentre.

La cabane est calme et sympathique.
J'aime le grondement continu du petit
poêle qui ne dérougit pas. Je me sens
chez moi. J'ai fait provision de bois pour

la nuit, accroché mes vêtements à sécher, étendu mon sac de couchage sur la banquette. De l'eau de source frémit dans deux petites casseroles. J'étale sur la table le contenu de mon sac de survie : trois sachets de soupe *Lipton* poulet et nouilles, une boîte de six gros biscuits matelot ronds comme des rondelles de hockey, une demi-livre de thé *Salada* en feuilles, un ensemble de gamelles de scout en fer-blanc, imbriquées les unes dans les autres, mon couteau de chasse dans une poche latérale. J'ai déjà les allumettes et les chandelles.

— C'est tout ! C'est peu ! Mais j'ai confiance. J'ai à manger pour deux… trois jours. D'ici ce temps-là, on m'aura certainement retrouvé. Je me rationne quand même. Ce soir, soupe, biscuit, thé. J'en ai déjà l'eau à la bouche. Les jours suivants, soupe et biscuit le matin, ça me donnera des forces pour la journée. Le soir, un biscuit trempé dans le thé chaud. Demain, à la première heure, j'allume un gros feu fait d'un mélange de bois sec et humide au milieu de la clairière. La fumée noire se verra de loin du haut des airs… si la température le permet.

J'irai ensuite inspecter les lieux du *crash*. Si la glace est bien prise, je pourrai peut-être me rendre à pied jusqu'à la carlingue.

La lueur du petit poêle suffit. J'économise les chandelles. Je me suis servi une tasse de thé noir, un bol de soupe dans laquelle j'ai émietté le gros biscuit matelot dur comme du bois. Les odeurs âcres du thé se marient à celles un peu piquantes de la soupe et viennent me chatouiller les narines. Je salive abondamment, j'ai la chair de poule sur tout le corps. Je prends le bol chaud à deux mains, le tiens du bout des doigts, comme un curé à la messe, et le porte religieusement à mes lèvres que j'arrondis. J'aspire doucement le potage velouté qui me coule comme un ruisseau dans la gorge, me tombe dans le ventre qui gargouille. Je ne pense à rien d'autre qu'à manger, envoûté par la chaleur de la cabane, hypnotisé par les arômes, la texture, les saveurs.

L'immense plaisir que j'éprouve à me nourrir et à me réchauffer — choses qui m'apparaissaient si simples jusqu'à maintenant — restera à jamais gravé en moi...

5

MA BOÎTE À LUNCH !

— Non ! Aucun doute, ça ne vole pas ce matin.

Les flocons de neige cinglent comme des abeilles. Les arbres sombres, cloués au sol, ont un air désespéré. Un vent intempestif, bruyant, les secoue violemment. Je ne vois pas à trente pieds devant.

Plus le temps passe, plus mes chances d'être secouru s'évanouissent…

Inutile d'allumer un feu de secours par un temps aussi maussade. Je traverse la clairière d'un pas décidé, m'enfonce dans la forêt où je trouve instinctivement le sentier par lequel je suis arrivé. Il descend à pic vers le fond de la cuvette. Le vent a balayé les traces de mon récent passage. À mi-côte, je bifurque à droite et me dirige vers une tache blanche que je devine entre les troncs branchus des épinettes et des mélèzes. Je descends avec précaution, toujours en diagonale, en me tenant aux longues branches pour ne pas perdre pied. La marche est pénible.

— Comment ai-je fait pour grimper cette sacrée falaise à mains nues, trempé jusqu'aux os, glacé ? J'ai puisé au fond de moi des ressources, une force, qui m'apparaissent surhumaines.

Je pose les pieds sur une toute petite plate-forme rocheuse qui affleure le lac et du revers de ma mitaine, je fais basculer sur mes épaules mon large capuchon en fourrure de caribou. L'air me rafraîchit le front et me chatouille les joues. Ici, au fond de la vallée, le vent est calme. La petite neige soufflée de la cime des arbres tombe mollement comme une pluie de confettis. Le lac minuscule, en forme de queue de castor, est encaissé entre des parois rocheuses.

Mon avion gît à vingt pieds devant, au bas d'une muraille de pierre sombre coupée par la nappe de glace blanche.

Deux ou trois pieds vers la gauche et je m'écrasais sur le roc.

L'arrière du fuselage pointe hors de l'eau comme la queue d'un rorqual qui plonge dans la mer.

C'est un miracle que j'aie réussi à me poser sans plus de casse.

Je frissonne, les jambes en guenille. Je me sens mal comme si j'allais de nouveau perdre connaissance. Jusqu'à présent, je n'ai pas eu le temps d'avoir peur, mais là, elle me rattrape, me saisit à la gorge, mon cœur tourne dans le vide à haute vitesse. La carlingue immergée dans l'eau glacée aurait bien pu être mon cercueil. J'ai mis plein gaz pour tenter de relever le nez de l'avion, tiré de toutes mes forces sur les commandes qui me secouaient. Le vieux moteur Rolls Royce crachait férocement tout ce qui lui restait de puissance, grondant comme un concasseur, la gueule grande ouverte. Tout s'est passé en un éclair. Les deux gros flotteurs ventrus frappent la glace comme un coup de masse sur l'enclume. L'avion, alourdi par sa carapace de givre, s'enfonce jusqu'au ventre dans l'eau, glisse sur le flanc, rebondit, pique du nez… Voilà ce qui est arrivé. Je me souviens du bruit, de l'éclat de l'eau, du choc, de la noirceur soudaine puis... plus rien.

Sidéré, je fixe l'épave. Une idée germe dans ma tête. Je dégage une pierre près de ma plate-forme et la lance à bout de bras. Elle monte, chute lourdement, plouf, elle crève la couche de glace et disparaît à jamais dans une fosse noire et silencieuse. Je remonte lentement la falaise.

Au camp, je décroche la sciotte suspendue au mur de l'appentis et je reviens sans me presser sur les lieux de l'écrasement. J'examine attentivement la position des arbres qui bordent la rive escarpée. Je m'agenouille au pied de celui qui me convient. Il penche un peu vers le lac.

Si tout va bien, je le couche le long de l'épave, à cheval sur l'aile droite.

C'est certainement cette même scie que Christophe a utilisée pour abattre les arbres qui ont servi à construire la cabane et sa dépendance. Je trace un premier trait de scie le plus bas possible, à ras le sol du côté du lac. Les dents rouillées s'enfoncent dans l'écorce grise et le bois blanc. Mon second trait est légèrement oblique de l'autre côté de l'arbre, en direction de la première blessure. Les dents mordent dans l'écorce.

Le travail est ardu. Je pousse et tire de toutes mes forces, attelé à deux bras à l'arc de la scie. J'essaie de maintenir un va-et-vient régulier. J'ai chaud, le bran de scie brunit. Le cœur est atteint. Les longs bras désordonnés de l'arbre s'agitent comme s'ils pressentaient leur fin. Un rapide coup d'œil vers la tête livide m'assure que tout va bien. Je retire la lame et pousse le mélèze de tout mon poids en appuyant mes deux mains le plus haut possible sur son tronc. La blessure s'élargit. Le mélèze tremble, chancelle. Je pousse plus fort, les dents serrées, la tête entre les bras. Le pied craque, s'ouvre légèrement. Je pousse le souffle bloqué dans ma poitrine gonflée. Déséquilibré, entraîné par son poids, l'arbre centenaire fend l'air, tombe, s'écrase dans un fracas épouvantable le long de la carlingue. La glace explose. L'eau éclabousse la neige. C'est comme si une tornade venait de passer dans la montagne. Le vacarme retentit sur les durs parois de roc. Les branches entremêlées balaient le fuselage. Puis l'imposant silence des lieux revient comme si de rien n'était. Le mélèze est tombé là où je le voulais.

L'effort du sciage me fait voir des étoiles. Accroupi sur mes talons dans la falaise, je me repose, récupère des forces et de la chaleur. Le froid me mord dans le dos. Une odeur âcre de résine émane du tas de sciure de bois fraîche et de la plaie vive de la souche. À vue d'œil, je me trace déjà un chemin, telle une passerelle, entre les branches de l'arbre étendu de tout son long dans l'eau.

Méticuleusement, comme un funambule sur un fil de fer, je pose un pied devant l'autre entre les branches. Je marche jusqu'à la soute de l'avion, tourne le loquet. La porte s'ouvre facilement. Je connais ma soute comme le fond de ma poche. J'arrache tous les fils de fer ou électriques qui courent le long des murs et les roule en boule, sors un rouleau de toile blanche qui me sert à couvrir le moteur et l'hélice au cours des nuits froides et je décroche une hache légère : j'arrime toujours la toile et la hache solidement à la paroi de la soute à bagages. Mes trouvailles sont rangées une à une en sécurité, au croisement du corps du mélèze et de l'aile, à fleur d'eau.

Si j'entrais dans la soute, je risquerais de glisser sur la tôle et de tomber dans l'eau glauque qui croupit au fond. J'enfonce la tête le plus loin possible… des détritus flottent : des bouts de papier, un carnet de factures, des mégots, un paquet de cigarettes vide, un bout de crayon à mine jaune… rien qui vaille la peine d'être récupéré, me dis-je, quand tout à coup… un reflet sombre dans l'eau…

— Oui… Oui… c'est bien ça ! C'est ma boîte à lunch !

Mon cœur bat à se rompre.

— Ma boîte à lunch !

Sa seule vue m'excite. Je prends de longues bouffées d'air frais. Les idées tournent vite dans ma tête.

— Il y a certainement moyen… la hache !

Je replonge la tête dans le trou. Le corps en ballant, les pieds dans le vide, je m'accroche tant bien que mal au fuselage de la main gauche et, de l'autre, je tiens fermement la hache par le pommeau du manche. J'arrive à passer tout doucement le taillant de fer derrière la boîte… je tire lentement dans l'espoir de la ramener vers moi. Elle ne bouge pas d'un pouce ! Je force davantage, les yeux et les oreilles aux aguets. Rien à faire ! Elle est bien prise sous un banc. Si je la crève avec le tranchant, elle prend l'eau et je perds tout.

— Non ! Ça ne va pas. Il doit bien y avoir une autre façon…

L'idée de mettre la main sur ma boîte à lunch me mobilise totalement.

Je saute, comme un lynx, retombe les deux pieds sur l'arbre. En deux coups de hache, je coupe les branches qui obstruent le premier hublot et d'un bon coup, fracasse la vitre qui vole en éclats. L'eau gargouille. Je m'accroupis dans les branches et serre le tronc entre mes genoux. J'enlève mes mitaines, mon gros anorak, roule ma manche de chemise et sans hésiter, plonge le bras gauche jusqu'à l'épaule dans l'eau glacée. Tout mon être est sur le coup saisi d'une douleur cuisante, comme si on me lacérait avec un couteau. Ma poitrine se contracte, me fait atrocement mal. Les yeux fermés, les mâchoires serrées, je tâtonne dans l'eau. J'agrippe fermement l'armature du siège et la pousse de toute

ma force vers le bas. Elle plie légèrement.
Je descends la main.

— Ça y est… je la touche… je la serre
entre mes doigts gourds.

Je la tire, la pousse, la zigonne[10] autant
que je peux.

— Elle vire… elle bouge, pouce par
pouce.

Je ne respire plus…

— Elle glisse, elle m'échappe !

Je n'en peux plus. Mon bras engourdi
est luisant comme le corps d'un serpent.
L'eau épaisse dégouline. Vite, je déroule
la manche trempée de ma chemise, enfile
mon anorak et mes mitaines. J'ai tellement
froid au bras et aux doigts que j'en ai mal
à la tête. Une fois habillé, je respire
mieux. Mais ce n'est pas fini, alors j'enfonce de nouveau la tête dans la soute.
Libérée, la boîte à lunch a rebondi
comme un ballon. Vue d'en haut, elle a
l'air d'une petite maison à pignon des
Îles-de-la-Madeleine. Je fabrique un crochet avec un bout de fil de fer et le glisse
dans la poignée. Remonter mon trésor le
long de la paroi est un jeu d'enfant. Je
l'attrape des deux mains et le serre sous
mon bras. Il me reste à monter toutes

mes trouvailles à la cabane. La toile est lourde et encombrante, mais ça ne me fait rien. Je me sens d'attaque pour déplacer les *torngats*[11] s'il le faut.

Je ferai deux, trois voyages. Peu importe. Une bonne toile, du fil, ma boîte à lunch. Je suis riche! J'aurais un million de dollars dans mes poches que je ne serais pas plus fier de moi et confiant en l'avenir.

Les gros tisons rouges bourdonnent comme un nid de guêpes dans le petit poêle. Il fait chaud. Le thé frémit dans le vieux chaudron cabossé. Son arôme amer flotte dans la pièce. Il me semble avoir accompli des tâches gigantesques en deux jours. Peut-être trois... Je ne sais plus.

Je suis assis sur ma bûche, accoudé à la table. J'ai déposé ma précieuse boîte à lunch dans le halo sombre de la chandelle. Un vent ample joue dans les branches des arbres, mugit comme s'il soufflait dans la grand-voile d'un vaisseau fantôme. Il se lance parfois à l'assaut du flanc de la cabane. La charpente craque, vibre, mais résiste.

Elle en a vu d'autres.

Le fer-blanc de ma tasse de thé me brûle les doigts. Je la pose devant moi, souffle doucement sur le liquide qui frissonne. J'ai tout mon temps. Rien ne presse. Le thé est là, prêt à être savouré… et je vais ouvrir ma boîte à lunch. Ma bouche, envahie par la salive, est comme une montagne qui dégèle au printemps. Ma langue se creuse. D'une légère pression simultanée des deux pouces, je fais sauter les loquets. Le couvercle à deux versants bascule.

Sur les bancs d'école, le lunch que ma mère m'avait préparé tôt le matin m'obsédait. J'y pensais sans cesse, au point de ne plus entendre la maîtresse. Au cours de la sempiternelle dictée qui commençait la journée, je glissais en cachette ma main dans mon sac et tâtais mon sandwich pour m'assurer qu'il était toujours bien là, puis je passais mes doigts sous mon nez pour m'enivrer de l'odeur suave du bon pain frais que ma mère avait boulangé la veille. À la récréation de dix heures, je n'en pouvais plus. Dès que la cloche sonnait, je déballais rapidement mon sandwich, toujours le même : une épaisse rondelle de jambon rose entourée de blanc entre deux tranches de pain de ménage tartinées d'une généreuse couche de moutarde. Je le dévorais sur-le-champ à belles dents.

Aujourd'hui, quand je m'envole tôt pour une longue journée de travail, je me fais le même sandwich au jambon et l'emballe, comme le faisait ma mère, dans un carré de papier ciré. Bien avant midi, je pose ma boîte à lunch sur la carte géographique ouverte sur mes genoux et je savoure mon repas le cœur joyeux en admirant les vastes étendues de roc, de forêt, de lacs et de lichens qui défilent sans cesse en dessous. Je me dis qu'il n'y a pas de plus beau restaurant que le mien et que j'ai de la chance de pouvoir ainsi admirer le monde en volant entre ciel et terre. Je navigue à vue en suivant les lacs mauves et les rivières langoureuses aux longues plages dorées. En fin de soirée, de retour à la maison, je raconte ma journée à Marie et lui dis :

— Quand je mange dans le ciel, je suis aux petits oiseaux.

Ce soir, perdu dans ma petite cabane, je me repais comme un loup. Je mords dans le pain froid et le jambon frais.

Je mouille la bouchée d'une lampée de thé que je siffle, les lèvres en cyclone, les yeux mi-clos. Je sens, en moi, naître le courage, gonfler l'espoir.

Ma tension tombe, car les recherches cessent dès la fin du jour. Je fais le bilan à tête reposée, la bouche pleine :

— Je suis porté disparu depuis deux, peut-être trois jours. Il a fait mauvais temps sans arrêt... chose certaine, aucune recherche n'a été effectuée dans cette région... à moins que... j'ai un souvenir vague qui me hante... peut-être la première journée. Est-ce que j'aurais rêvé ? Parfois, quand j'y pense, j'entends un avion voler à basse altitude dans le lointain, comme le bourdonnement d'un moustique invisible qui nous tourne autour de la tête la nuit. Non ! C'est une illusion. J'étais dans les vapes, sous le choc du *crash*. Non !... Peut-être ? Je ne suis plus certain de rien. Si un avion de reconnaissance a patrouillé la région sans rien voir, personne n'y reviendra. Les recherches dans le Nord coûtent cher. Les heures de vol sont comptées. Je suis peut-être déjà classé introuvable... mort !

Marie ! Comme elle doit être inquiète. Dans tous ses états… Je la vois anxieuse, sa figure ronde défaite, pâle, ses longs cheveux noirs en désordre tombant sur ses épaules. Elle remue ciel et terre pour que les recherches se poursuivent. Elle a tout fait : téléphoné plusieurs fois à Yvette à la tour de contrôle, couru à la base encourager le sergent Laniel, responsable des recherches. Elle ne laisse rien au hasard, talonne la police, l'armée, nos amis pilotes de brousse. Elle sait dans son for intérieur que je suis toujours vivant. Oui ! Elle le sait. J'en suis convaincu… Si elle n'était pas enceinte, je m'inquiéterais moins pour elle, pour le bébé, pour moi. Sa situation est pire que la mienne. Je sais que sa vie n'est pas en danger alors qu'elle imagine les pires souffrances pour moi. Non ! Je chasse toutes ces idées noires de ma pensée. Marie ne désespère pas. Elle croit en moi. Elle dit toujours que je suis le meilleur pilote de brousse de tout le Nord québécois, qu'elle volerait au bout du monde avec moi, dans les conditions les plus désastreuses…

Je tourne vivement la tête vers le mur derrière moi, la chandelle à la main. Je trouve, sur la paroi, le plan que Joachim y a tracé à gros traits au charbon. Je l'examine de gauche à droite… recommence… là… je comprends. Il a dessiné le bassin hydrographique de la région… un chapelet de lacs reliés par une rivière ou un ruisseau, jusqu'au dernier, le grand lac Champdoré. Tous les cours d'eau de la région coulent vers le nord-est pour se jeter dans le fleuve George qui, lui, se déverse dans la baie d'Ungava.

Le Champdoré est à la tête des eaux, au carrefour des migrations printanière et automnale des troupeaux de caribous et des volées d'oies sauvages. C'est au Champdoré que se croisent les sentiers battus, dans la mousse et le roc, depuis des millénaires par les chasseurs montagnais, naskapis, esquimaux[12]. Je comprends que Joachim y soit allé chercher du secours. Aujourd'hui, le Champdoré est un corridor aérien régulièrement utilisé par les pilotes de brousse pour transporter les trappeurs, les pêcheurs, les prospecteurs. Je connais moi aussi cette enfilade de lacs. Je l'ai suivie plus d'une fois du haut des airs en route pour Goose Bay sur la côte du Labrador ou pour Fort Chimo dans la baie d'Ungava.

Je refais le trajet à la chandelle en scrutant le plan pouce par pouce. Le sentier est en pointillé. Il longe les rivières, traverse les lacs, emprunte les portages. Avant d'arriver au Champdoré, Joachim a dessiné un gros soleil noir surmonté d'une croix.

— Cent milles à vol d'oiseau, une heure de vol… dix jours de marche, peut-être moins si tout va bien.

Ma crainte, c'est que les lacs ne soient pas encore gelés.

Si le mauvais temps persiste, je n'aurai plus aucune raison de rester ici. Perdu en forêt, la consigne est de rester sur place, d'attendre du secours. Mais là, je ne suis pas perdu. Je sais où je suis. Je sais où je veux aller et comment m'y rendre. Ici, je suis à l'abri. J'ai du bois de chauffage… mais bientôt je n'aurai plus rien à manger. Je n'ai vu aucune trace de perdrix, de lièvre, de porc-épic.

Anne a eu une mort atroce. Mourir de faim, dans la solitude la plus totale, est la pire des morts et je ne suis pas du genre à attendre éternellement.

Je réfléchis tout en mangeant mon dernier petit bout de sandwich. Je le savoure pleinement. Je mastique longtemps la bouchée puis l'avale en levant la tête au ciel, comme un cormoran qui se gave d'une truite. La nourriture moelleuse coule dans ma gorge, descend dans mon estomac. Les yeux dans le vague, j'écoute hurler le vent qui se prend dans l'angle de la cabane, roule sur le toit, ébranle la charpente et fait trembler la porte.

Depuis que j'ai vu la carte sur le mur, j'ai au fond de moi une petite semence qui germe à vue d'œil. Elle fait toute seule son bonhomme de chemin dans ma tête. Je ne fais rien pour l'étouffer. Elle commence même à me séduire.

— Voler à mille pieds d'altitude, ce n'est pas marcher dans la taïga ou à travers les tourbières l'hiver. Je peux rester sagement ici à espérer du secours… du secours qui ne viendra peut-être jamais, ou je pars sur les traces du vieux Joachim. Pourquoi pas ? Les Montagnais sillonnent ce territoire à pied depuis des millénaires. Ils ont tracé des routes qui existent sûrement encore aujourd'hui. Cent mille à pieds, ce n'est pas la fin du monde. Dix jours… sans nourriture… mais je n'en ai pas plus ici. Je pourrai chasser, pêcher en cours de route… Joachim n'est jamais revenu. C'est qu'il ne s'est pas rendu au Champdoré… Que lui est-il arrivé ?

Il est temps de souffler la chandelle. Je ne sais pas si je vais pouvoir dormir. J'allais rabattre le couvercle de ma boîte à lunch quand je remarque des signes tracés sur le carré de papier ciré. Je le déplie, le lisse. C'est Marie qui a rapidement dessiné au crayon une volée d'outardes haut dans le ciel dans une formation en V. Les oiseaux à la queue leu leu cinglent énergiquement, le cou tendu. Elle sait que j'admire ces oiseaux courageux qui, contre vents et marées, parcourent à chaque année des milliers de milles pour nidifier dans les froides contrées nordiques. Il m'arrive souvent au printemps et à l'automne de voler avec elles. Je me demande toujours ce que les outardes peuvent bien penser de mon oiseau lourd et bruyant, aux ailes rigides.

Je souris et j'éteins la chandelle.

— Merci, Marie.

Ma décision est prise.

Je fouine partout à la recherche de tout ce qui pourrait m'être utile. Je répare le vieux toboggan que j'ai déniché sur les solives de l'appentis. Je solidifie les traverses qui retiennent côte à côte deux planchettes à tête recourbée et je refais les cordages. Ça tiendra !

Je mets la main sur une étrange branche sèche de la grosseur de mon poignet, tordue et courbée, appuyée dans un coin de l'appentis. Elle est juste assez longue… légère, solide. Je fais quelques pas avec elle. C'est ce qu'il me faut. Je me suis trouvé un bâton de marche. C'est toujours utile en forêt pour se supporter, vérifier la solidité de la glace sur un lac, se défendre, attaquer ou même pour parler quand la solitude devient insupportable.

Mon bâton me plaît. Il a peut-être déjà servi ? Il était là, dans le coin de l'appentis, comme s'il attendait un compagnon de voyage. Je suis content. Il est beau, il a une âme. Je le baptise « vieille branche ».

Je le rentre au chaud et l'appuie près de la porte, prêt à partir.

Assis à l'indienne sur la couverture laineuse de la baie d'Hudson, j'ouvre toute grande la porte carrée du poêle de tôle noire. Le feu me baigne d'une lueur sanguine, chaude et chatoyante qui joue sur ma peau comme des aurores boréales dans le ciel nordique. Je me rationne sur tout : la nourriture, les allumettes, les chandelles. Ces dernières ont fondu à vue d'œil. Il ne m'en reste plus qu'une seule que je garde précieusement par prudence, pour une situation d'urgence. Je me sens bien dans la chaleur. Mes yeux s'habituent à la pénombre. Les gros tisons se désagrègent et les flammes bleues jouent à cache-cache.

J'aiguise lentement, tour à tour, les lames de mes couteaux et le taillant de ma hache à l'aide de la petite pierre douce que j'ai trouvée au fond de la poche de l'anorak de Christophe.

Je ne réfléchis à rien et du même coup, je pense à tout. Une grande quiétude m'envahit. Un bien-être que je n'ai connu que dans mon enfance, quand je marchais en forêt derrière mon père.

Je ne suis plus le pilote de brousse, le survivant miraculeux d'un *crash*, perdu au cœur de la taïga à des centaines de milles de toute civilisation. Non! Je suis tout simplement Pierre McKenzie qui vit intensément l'instant présent, heureux de respirer et de vivre.

À chaque doux et lent passage, l'affiloir polit sur le fil de la hache un trait argenté. Je creuse six encoches dans le bois gris de ma vieille branche. Un trait pour chaque jour écoulé depuis le *crash*.

La braise mourante pétille et lance des étincelles qui meurent à mes genoux.

Avec mon couteau de chasse coupant comme une lame de rasoir, j'écorce le tronc d'un jeune mélèze que j'ai coupé ce matin à l'orée de la clairière. Il poussait au soleil, droit et sans nœud. L'odeur forte de la résine se réveille à la chaleur et se répand dans toute la cabane. J'empoigne fermement le tronc en son centre, que je détermine à l'œil, et je taille une encoche de chaque côté de mon poing. Je dégrossis ensuite légèrement la pièce en fuseaux vers les extrémités en prenant bien soin de les équilibrer.

Je dégauchis minutieusement le centre. J'observais grand-papa lorsqu'il fabriquait un arc qu'il m'offrait ensuite en cadeau. Ce matin, je prends plaisir à faire la même chose que lui, comme si j'avais en cet instant toute l'éternité devant moi. L'écorce sombre et les copeaux clairs roulent sur mes cuisses et jonchent le sol.

Satisfait de mon travail, je coince l'arc en étau entre mes jambes, la plie et sous-tend un fil métallique entre les deux extrémités recourbées. Le fil vibre comme la corde de mon violon.

— C'est bon ! J'ai une arme puissante.

Dans ce qui reste de bois de mélèze, je dégrossis deux flèches. Le gros bout de la première est façonné en assommoir, l'autre est fine et pointue. Je tourne la pointe effilée dans les tisons pour assécher et durcir les fibres de bois vert.

6

SUR LA PISTE DE JOACHIM

Je tire bien la porte derrière moi, pousse à fond le gros verrou de bois, m'attelle au toboggan lourdement chargé. Mes biens sont enroulés dans la toile solidement ficelée en saucisson sur le traîneau plat. Ce matin, je suis en partance pour le grand lac Champdoré, sur les traces de Joachim.

Je m'arrête au pied des tombes que la nuit a recouvertes d'un léger linceul blanc, ému et reconnaissant. Je n'ai pas ce matin le sentiment d'abandonner Anne et Christophe, mais plutôt celui qu'ils approuvent mon départ. Le ruisseau qui serpente dans la montagne, la couronne d'épinettes et de mélèzes autour de la clairière, la cabane et son appentis constituent leur territoire sacré, leur cimetière. C'est ici que souffleront leurs esprits pour l'éternité, en toute quiétude, en toute liberté.

Le froid est intense, le vent muet. Je serre mon bâton à deux mains devant moi, dans mes épaisses mitaines. La tête penchée, je ferme les yeux dans la couronne de longs poils de mon capuchon. Je me recueille avant d'entreprendre mon périple comme un vieux moine dans une cathédrale sur la route de Saint-Jacques-de-Compostelle.

Je porte les vêtements de Christophe et, autour du cou le foulard rouge d'Anne. Je les remercie de leur générosité. Je leur dois la vie. Je suis heureux que nos routes se soient croisées et je sais que quoi qu'il arrive, je ne les oublierai jamais.

J'apporte avec moi des cadeaux précieux : une chanson dans la tête et la poésie au cœur et aux lèvres.

Le vent soulève une longue traînée de poudrerie folle qui voyage à ras le sol. Je prends résolument la route sans me retourner. Je ne sais pas ce que me réservent les prochains jours, mais je pars confiant.

Je suis toujours heureux de lever l'ancre.

Je descends lentement la côte en retenant d'une main le toboggan qui me tape sur les talons. J'aimerais entrevoir une dernière fois la queue de mon avion entre les branches. La neige qui virevolte en fin rideau de mousseline me voile la vue.

La carte de Joachim est imprimée dans ma mémoire. Je longe le ruisseau dissimulé sous la glace. J'entends l'eau qui dégringole. Elle refait surface, ici et là, dans les cascades ou surgit entre les rochers, comme pour narguer une dernière fois l'hiver qui s'installe. Au pied de la pente, le ruisseau emprunte le lit de la vallée. L'eau disparaît pour de bon sous un corridor de glace.

Le sentier longe la rive droite, plus accessible. Je cherche une ouverture des yeux, une trouée à travers le massif de conifères et d'aulnes, un signe…

— Là !

Sur le tronc d'un gros arbre, il y a une marque. Un coup de hache donné il y a longtemps. Une éraflure qui a fait sauter un bout d'écorce. La résine a coulé, s'est coagulée. La plaie a grisonné avec le temps. C'est bien une plaque faite de main d'homme, comme celles qui balisent souvent les sentiers en forêt. Il y en a une seconde de l'autre côté. Aucun doute possible ! Je vais nord-est. Je caresse le tronc calleux à mains nues. Il est chaud, plein de vie.

— Si j'étais un voyageur en forêt, vers où irais-je à partir d'ici ?

Je vois se dessiner un sentier, apparaître une ouverture toute naturelle que j'emprunte. Je me fie à mon sens de l'observation, à mon instinct et, de loin en loin, les balises me rassurent. Je progresse obstinément comme la tortue, lentement, posément, sans m'arrêter.

Quand la piste est encombrée, je donne quelques coups de hache pour la libérer ou je contourne l'obstacle. Si je doute de la route à suivre, je scrute la forêt attentivement. Si je ne trouve pas, j'attache mon foulard à une haute branche, laisse le toboggan sur place et avance à tâtons jusqu'à ce que je trouve une balise, un vestige du sentier dans la mousse, puis je reviens à mon point de départ pour repartir du bon pied. Je perds toute notion du temps. Je ne sais pas à quel rythme je progresse. Je veux atteindre le lac Petikao avant la fin de la journée et le jour tombe vite. Le terrain décline légèrement. Je longe le ruisseau.

Un ruisseau nous mène toujours quelque part.

Le temps s'assombrit. Le vent joue une musique lancinante dans la tête des arbres qui se bercent. Les branches battent désespérément la mesure. Mon toboggan colle au sol, s'alourdit derrière moi. Je peine de plus en plus. Je m'appuie davantage sur mon bâton de marche. Le froid me pique aux poignets et aux chevilles. Toute la forêt autour de moi s'agite, on dirait un peuple de danseurs qui tourbillonnent. Cela me rappelle ce que ma mère disait :

— *Pierrot, il est né avec un archet entre les doigts.*

À cinq ans, j'ai pris le violon magique de mon père pour regarder dedans, voir comment il était fait et le faire chanter moi aussi. Assis sur une roche, près de la rivière, j'ai essayé de jouer. Mon père a vite fait de me retrouver à l'oreille. Il s'est assis près de moi, m'a écouté, a souri, puis il a placé le violon au creux de mon épaule, l'archet comme il le fallait entre mes doigts et il m'a dit doucement :

— *Couche ta joue sur ton violon, ne pense à rien, écoute-le bien. C'est lui ton meilleur guide. Il te dira quoi faire.*

Mon père avait un orchestre. Son grand frère Willy était à la guitare, son jeune cousin Moïse à l'accordéon et moi, à huit ans, je jouais de la cuiller et je tapais du pied. Nous étions de toutes les noces, de tous les baptêmes, de toutes les fêtes. Aux environs de minuit, mon père, qui avait pris un petit coup toute la soirée, commençait à avoir la voix enrouée, les jambes molles et les bras fatigués. Il s'assoyait sur ma chaise, sortait son ruine-babines[13] *de la poche de sa chemise à carreaux… Je pense aujourd'hui qu'il faisait cela pour me faire plaisir, car il savait que j'attendais ce moment avec impatience. Je le remplaçais au violon et au micro. Les danseurs étaient depuis longtemps en sueur, la figure rouge, chauffés à blanc.* Last caaalll[14] !

Je callais[15] *le dernier* set carré[16] *de la soirée comme un crieur aux enchères, à voix haute, rapide, en martelant chaque mot comme s'ils étaient des coups de sabot donnés par un cheval au trot sur l'asphalte. Le diable* steppait[17] *sur le plancher à vaches à un train d'enfer. Les couples* swingnaient[18]*, les femmes, la jupe au vent, les cuisses à l'air ;*

---

les hommes, les yeux dans la graisse de binnes[19].

— En avant la compagnie, tout le monde danse et tout le monde balance.

Je les laissais s'essouffler à souhait et tout à coup, je lançais :

— Les femmes au milieu, les hommes font le tour.

Les femmes se regroupaient au centre en se dandinant. Les mâles tournaient en cercle autour des femelles, à la queue leu leu au rythme frénétique de mon violon, le dos voûté, les jambes arquées, les bras ballants, la tête en l'air comme un buck[20] en rut. Ils lançaient des han ! han ! han ! gutturaux et sensuels. Pour les surprendre, je callais :

— Et un demi-tour à gauche !

Et le train partait vers la gauche.

— Et un demi-tour à droite !

Et dans la pagaille, les danseurs se précipitaient vers la droite et la farandole changeait de direction. Les hommes rebroussaient chemin en hurlant comme une meute de coyotes. Les femmes, tassées au milieu du cercle qui rétrécissait, se tapaient dans les mains en roulant les hanches.

— Saluez votre compagnie pis swingnez-la dans vos bras !

C'était depuis un bon moment le signal tant attendu. Les danseurs se ruaient sur les danseuses de leur choix avant qu'un compétiteur la leur ravisse. Plusieurs s'étaient déjà donné rendez-vous des yeux ou du bout des doigts. Les femmes s'esquivaient, se faufilaient pour se retrouver à la fin du set carré *dans les bras de leur préféré.*

— Et swing *la bacaisse dans le coin de la boîte à bois !*

Le diable était aux vaches. La maison tremblait sur ses fondations, comme lors d'un soir d'orage électrique. Les couples étourdis pivotaient comme des toupies multicolores.

Mon archet possédé du démon bondissait sur les cordes raides. Mon père martelait le plancher de bois franc de ses bottes de draveur, la tête penchée, les yeux fermés, la figure enfouie dans ses mains, perdu corps et âme dans la frénésie de sa musique à bouche.

Zing ! Zing ! Zing !

— *Domino, les femmes ont chaud !*

La musique s'arrêtait net. Les couples s'immobilisaient. Les danseurs et les danseuses se tenaient par la taille, exténués, un sourire de contentement sur les lèvres. Les hommes en nage s'épongeaient le front et le cou avec leur grand mouchoir bleu à pois blancs. Mais la soirée n'était pas finie.

— Une petite chanson à répondre ?

— O.K. !

— « On est chez M. Danis »

— « On est chez M. Danis » (en chœur)

— « Qui nous a invités »

— « Qui nous a invités » (en chœur)

— « Pour nous faire danser »

— « Pour nous faire danser » (en chœur)

— « Danser ! Danser ! » (en chœur)

— « Chanter ! Chanter ! »

— « Chanter ! Chanter ! » (en chœur)

— « Sauter ! Sauter ! »

— « Sauter ! Sauter ! » (en chœur)

— « Merci ! Merci ! »

— « Merci ! Merci ! » (en chœur)

— « M. Danis ! M. Danis ! »

— « M. Danis ! M. Danis !... » (en chœur)

— Excusez-la !

Et tout le monde applaudissait M. Danis à tout rompre, la figure flamboyante, la chemise trempée dans le dos et aux aisselles, les yeux clairs comme la cheminée d'une lampe à huile.

Je m'immobilise net. Mon sang se fige dans tout mon corps. Je suis dans un cul-de-sac, face à un mur de roc qui me barre la route.

— Où suis-je ?

Je cherche tout autour comme une girouette dans le vent. La peur me saisit au cœur. Le ruisseau n'est plus là. Rien ! Plus de repère : une forêt fermée, étrange ; une falaise sombre, infranchissable ; des bois épais. Je me suis égaré dans ma rêverie. J'ai marché en automate, sans constamment vérifier où j'allais. Mes tympans bourdonnent comme des cascades. Je m'apaise un peu.

Ce n'est pas tragique. Je n'ai qu'à revenir sur mes pas.

Ma piste est visible dans la petite neige qui couvre le sol. Je me presse quand même, car le vent aura tôt fait de tout balayer. Je retrouve enfin le ruisseau. Une balise m'apporte un certain soulagement. Je reprends ma route avec la ferme résolution de ne plus me laisser ensorceler par ma pensée.

Je comprends mon erreur ! J'ai marché tout droit alors que j'aurais dû descendre une pente abrupte. Je poursuis ma route. Le toboggan, entraîné par son poids, me rentre dans les jarrets. J'ai peine à le retenir. L'eau tombe en gros bouillons blancs qui éclatent sur les roches sombres.

Le sentier glissant zigzague entre les racines et les galets nus. Je sens le lac tout en bas. Je vois son ouverture claire dans le ciel.

Je m'installe pour la nuit au milieu d'un bosquet d'épinettes touffues qui ont poussé serrées pour se protéger du froid et du vent. J'ai tout ce dont j'ai besoin à portée de la main. Je suis heureux de me libérer de ma charge. Je dégage en quelques coups de hache un petit espace au milieu du bosquet. J'ébranche sur place cinq jeunes troncs que je relie au faîte et j'étends la toile autour des perches. Je tapisse le fond de mon abri avec les branches vertes qui jonchent déjà le sol. Au fur et à mesure que progresse le travail, je me prends d'affection pour les épinettes qui m'entourent. Ce sont des habitants fort astucieux de la taïga. Au cours des millénaires, elles ont appris à vivre dans cette rude contrée. Non seulement elles s'y sont adaptées, mais elles semblent même s'y épanouir. J'aime leurs formes, leurs couleurs, la rugosité de leur écorce, l'odeur de la résine et des aiguilles. Elles sont comme les humains. Il y en a des milliers... même des millions debout, qui se côtoient fièrement et elles sont toutes différentes les unes des autres.

J'entreprends enfin la corvée du bois de chauffage. Je ne sais pas combien il en faut pour la nuit. J'en prépare plus que moins. Je réduis en petits bouts tout le bois sec qui me tombe sous la main. Heureusement, ce n'est pas ce qui manque dans la vieille forêt qui se métamorphose sans cesse. La tâche est pénible en cette fin de journée de marche et d'angoisse. Je fends les chicots à grands coups de hache ou je casse les troncs secs en les cognant vigoureusement sur une pierre en saillie. Je lance les copeaux au fond de mon abri. Lorsque tout est prêt, j'entre dans ma tente à quatre pattes et, comme un castor dans sa cabane, je mets de l'ordre : je tasse une à une les branches qui me serviront de matelas isolant. J'empile tout près le bois de chauffage. J'appuie le toboggan dans mon dos en guise de coupe-vent.

Agenouillé, dos à la porte, je balaie la neige du revers de ma mitaine jusqu'au roc.

— C'est bon. Mon feu aura un solide support.

J'éprouve une étrange sensation de solitude et de sécurité, comme si la mince toile de la tente me protégeait du monde extérieur. Ma respiration est lente, les bruits de mes mouvements sourds. J'entasse du bois sec sur un fagot de brindilles de mélèze et de lichens, craque une allumette. Vivement je protège la flamme frêle dans le creux de mes mains. Elle reprend son souffle. Sans la brusquer, je l'introduis du bout des doigts dans le fagot. Je la protège du vent avec mon torse qui fait écran devant le tas de bois. J'écrase légèrement d'une main le petit bois d'allumage pour le rapprocher de la flamme. L'allumette se consume sans qu'il ne se passe rien. Je la tiens pincée au bout du pouce et de l'index. Elle me brûle. Enfin, la résine fond, se boursoufle. Des brindilles se tordent, se consument en tisons minces qui meurent. Je souffle légèrement dessus, une flamme timide apparaît, puis deux, puis trois. Je souffle de nouveau du fin fond de mes poumons sans rien brusquer toutefois. Les flammes sautent, grimpent, se faufilent. J'aplatis davantage le tas de bois. Le feu est bien pris. Un filet de fumée noire stagne, me pique les yeux et les narines. Je me redresse et soulève un coin de la toile. L'air froid s'engouffre, rougit la braise du foyer. Une lourde fumée entraînée par l'air du dehors se fraie un chemin vers le faîte de la tente. Je ferme.

— C'est gagné !

Je reste agenouillé, absent, les yeux rivés sur les flammes qui dansent, hypnotisé par le miracle du feu. J'ai travaillé comme un cheval de trait. Je suis épuisé. Mes muscles qui se détendent me font souffrir. Je me refais lentement des forces. Après un long moment de méditation, la bonne sensation de la chaleur sur mes joues me tire de ma rêverie. De temps en temps, j'ajoute des copeaux. J'attise le feu, déroule mon foulard, bascule mon capuchon. Je deviens une ombre dans la pénombre. Une nuit immense s'abat pour de bon sur la taïga muette. Je suis à la fin de ma première journée de marche. Je me sens tout petit dans ma tente, comme un mineur mille pieds sous terre, au fond de sa galerie.

Je me fais du thé.

Recroquevillé sur moi-même, emmitou-flé dans mes vêtements et mon sac de couchage, je dors, les nerfs à fleur de peau. À tout instant, je me réveille en sursaut, hébété. Je m'empresse de mettre du bois dans le feu. Les copeaux secs se consument rapidement. Aux petites heures du matin, je me réveille juste à temps. Le foyer est sur le point de s'éteindre. Je pense que c'est un hur-lement saisissant de loup… ou peut-être le froid mordant qui me sort de ma torpeur. S'endormir dans le froid, c'est mourir doucement, comme dans un rêve. Le froid est enjôleur, sournois. Il faut s'en méfier comme de la peste. Alors, je me précipite. J'empile des brindilles, souffle sur les cendres encore chaudes, lon-guement, jusqu'à ce que le feu qui couve rougisse. Encouragé, je souffle en souf-flet de forge et… pouf! le feu surgit comme un lapin aux longues oreilles qui sort du chapeau d'un magicien.

Je suis heureux de voir enfin poindre le petit jour à travers la toile.

7

SURVIVRE

Le lac Petikao dort profondément, bordé de collines chauves qui ondulent à l'horizon comme les gigantesques vagues rondes qui ronflent sur l'océan. Le sentier tracé par Joachim le traverse de bord en bord. Il a fait froid, très froid, mais la glace est trompeuse sur les lacs à l'automne. J'avance à petits pas dans le vide, en me faisant léger, sonde en tapant du pied. Je retiens mon souffle. La surface me semble solide. Je m'accroupis et donne à deux mains un franc coup de hache dans la glace. Des éclats volent. Je refrappe, à bout de bras, dans la même brèche. Le fer défonce la glace, l'eau gargouille, imbibe la neige. Il n'y a pas trois pouces d'épaisseur…, à peine assez pour porter un homme. Mais au milieu du lac, là où passe le courant qui ronge sournoisement la carapace par en dessous, elle est encore plus mince.

Je n'ai pas le choix. Je vais marcher en suivant le littoral à dix ou quinze pieds de la rive.

Je m'attelle de nouveau à mon toboggan. Je sonde régulièrement en frappant devant moi avec le bout de mon bâton de marche. Il vibre à tout coup, rebondit. Le son du choc est sourd et plein comme un battement de cœur. Ça me met en confiance. Je coupe à travers les baies, d'une pointe rocheuse à l'autre, pour gagner du terrain.

Les paysages qui m'entourent sont d'une rudesse et d'un isolement absolus. Des arbres muets tracent une couronne sombre et austère sur le pourtour du lac Petikao, immensément plat et blanc. Je marche obstinément dans le vent comme un vieux loup solitaire et affamé. Dans les replis des montagnes, des touffes d'arbres poussent serrées comme si elles s'érigeaient en fortins solidaires pour faire face à quelque ennemi invisible.

Je marche inlassablement, traînant ma charge, toujours sur le qui-vive. Le froid et la faim sont de vilains joueurs de tours.

Ils créent des illusions… Le vent chante et berce. Il joue merveilleusement du violon… Il me faut trouver à manger… À manger… Le vent me harcèle sans arrêt. Il y a de quoi vendre son âme au diable pour une bouchée de pain, une gorgée de thé. Le vent rafale dans mon anorak, tourbillonne comme un clown. À l'aube, il me poussait amicalement dans le dos en ami serein, en bon conseiller. Il me pressait légèrement, insistait même pour que je prenne la route et là, sans crier gare, il change complètement de direction. Maintenant, je l'ai de face. Il me plaque comme un joueur de football. La poudrerie glacée est décourageante. Je fonce, têtu comme une fourmi, les yeux accrochés à mes pieds, désespérément agrippé à ma vieille branche. Le toboggan s'alourdit. Pourtant, ce matin il glissait comme un serpent dans l'herbe. J'ai les épaules endolories. Je fais le vide. Je m'efforce de ne penser à rien.

J'arrive enfin à une longue pointe rocheuse parsemée de bosquets d'aulnes enchevêtrés, dans la neige jusqu'aux genoux. J'essaie de voir où je peux me frayer un chemin entre les branches quand tout à coup, je me fige comme un chien d'arrêt. Je dételle en retenant mon souffle : là sous mon nez, dans la neige, une piste fraîche... une perdrix ! Ses traces régulières s'enfoncent dans les broussailles givrées.

Elle est venue ici pour manger. Elle m'a entendu venir avec mes gros pieds. Heureusement, j'ai le vent de face. Elle ne m'a pas encore flairé. Je suis certain qu'elle s'est camouflée quelque part, grimpée sur ses ergots, prête à s'envoler.

À pas de renard, je recule jusqu'au toboggan, les yeux rivés sur les traces. Sans faire de bruit, je prends mon arc, ma flèche à tête plate. Les nerfs tendus, je scrute les aulnes sans bouger d'un poil. Seuls mes yeux en alerte extrême fouillent les moindres recoins du sous-bois.

Elle est quelque part à l'intérieur. Le vent de face siffle. Il joue pour moi. Je laisse tomber mes mitaines, me fais silencieux et léger comme un harfang. Tous mes sens sont exacerbés. Je cherche un œil rouge, une crête noire, toute petite, mais qui crève le paysage. Je pose un pas devant l'autre, à l'écoute du vent. Je hume l'air, m'accroupis pour me faire petit, plus fort, pour mieux voir sous les branches.

— Ah, ah !

Elle est là, à portée de flèche. Le cou droit, l'œil rond, raide comme un oiseau empaillé. Elle croit, avec son plumage immaculé, se confondre avec la neige blanche. Sa crête noire l'a trahie. Je la vois maintenant très bien. Elle aussi me voit, mais elle fait comme si de rien n'était. Avec d'infinies précautions, je bande mon arc de toutes mes forces, aligne ma flèche. La perdrix est dans ma mire, dans mon œil, dans mes pulsions, dans tout mon être. Il n'y a plus qu'elle et moi dans la taïga et nos cœurs battent à l'unisson. La corde vibre, la flèche siffle et du même coup, je me catapulte, les jambes écartées, les bras en croix, comme un ouaouaron qui bondit dans un étang. L'assommoir frappe durement l'aile de la perdrix. Elle tombe à la renverse au moment ou j'atterris dessus face première dans les broussailles et la neige. Je me fais large et lourd. La perdrix emprisonnée sous mon ventre se débat furieusement. Je plonge une main dans la neige, l'empoigne solidement dans mes serres, me tourne prestement sur le dos et, vif comme un chat, lui tord deux fois le cou de ma main libre. Elle meurt en battant bruyamment des ailes dans l'air froid. Je sens dans tout mon corps sa vie la quitter.

Je m'assois, abasourdi, la perdrix sans vie dans les mains.

— Elle est morte ! J'ai à manger !

J'ai peine à le croire. Mais je ne me réjouis pas outre mesure. Je suis plutôt serein, rassuré. La mort de cette perdrix blanche au cœur de la taïga vient de changer ma vie. J'ai l'impression d'avoir vieilli de plusieurs siècles tout d'un coup.

Je la plume sur-le-champ : j'extirpe la queue d'une seule poignée. Le duvet de la poitrine s'enlève aisément, par touffes que j'arrache entre le pouce et l'index. Les légers flocons blancs et les plumes, prises sous l'aile du vent, s'envolent sur la neige glacée et roulent comme ces feuilles mortes qui tombent l'hiver. Elles collent aux tiges des aulnes, décorent d'ouates frémissantes les aiguilles rêches des épinettes rabougries. Je réchauffe mes doigts gelés de sang en enveloppant de mes mains la chair nue, encore chaude, de la perdrix. J'enfonce mon pouce à travers la peau mince, au bas du sternum, et d'un coup sec, casse la carcasse en deux. Les entrailles fument, dégagent une chaude odeur de sapinage. Du bout des doigts, j'arrache le cœur et le foie, et les avale tout rond comme des bonbons. Une forte saveur de sang tiède imprègne ma salive, imbibe mon palais et ma langue, me monte dans les narines. Je garde tout précieusement : les intestins, le jabot, les ailes, la tête, les pattes. Tout !

Je m'installe sur les lieux pour la nuit.

— J'ai à manger pour au moins trois jours ! Je mange une moitié de perdrix aujourd'hui et l'autre moitié, demain soir. Je garde les os et le bouillon pour les jours suivants.

Mais ces jours-là m'apparaissent bien lointain. Ce qui compte, c'est aujourd-d'hui. L'instant même et le trésor que j'ai entre les mains.

— Plus tard… J'aurai peut-être assommé un porc-épic… tué une autre perdrix… J'en verrai d'autres, c'est certain. Une perdrix ne vit jamais seule.

De temps en temps, j'attise la braise. La chaleur du foyer est bonne. Je dévore des yeux mon vieux chaudron cabossé. Un léger fumet de volaille sauvage se répand dans mon étroite demeure de toile. Je plisse les yeux, arrondis les lèvres, hume à fond. Les côtes me font mal. Une tige de fer rouge me barre le ventre. Des larmes brûlantes comme des tisons piquent au coin de mes lourdes paupières, roulent en silence dans les meurtrissures de mes joues crevassées par le vent et le froid. Comme un enfant, je pleure de faim, je pleure de joie, je pleure d'espoir. La flamme rougeoie, monte, le bois sec chante, lance des étincelles, l'eau bout. Des bulles de graisse jaune crèvent à la surface du bouillon. L'odeur fauve de la chair de perdrix est un véritable supplice.

J'enlève ma tuque, mon foulard, mon anorak. Je ne garde que mon *makinaw* sur mon dos. Je me sens léger. Je remue les morceaux de perdrix de la pointe de mon couteau. La viande est ferme, foncée.

— Ah! Seigneur! J'ai faim. Je meurs de faim!

J'ai la langue enflée dans la bouche. Si je m'écoutais, j'engloutirais tout sans attendre, comme un ogre…

— Non ! Je mangerai quand la chair sera bien cuite et que le bouillon se sera enrichi de tous les jus de la carcasse.

Je pique en tremblant le morceau auquel j'ai droit. Je souffle dessus, le colle sur mes lèvres comme si je l'embrassais. Il est odorant, dodu, gras, dégoulinant. Je mords dedans du bout des dents.

— C'est divin !

Il y aurait un paradis je ne sais où sur terre ou dans le ciel, qu'il ne pourrait m'offrir plus que ce que je vis en ce moment. L'instant est solennel, ma tente est un sanctuaire. Je me nourris d'une nourriture sacrée, agenouillé sur un tapis de branches d'épinette. Ce soir, dans tout mon être, je suis la perdrix qui me donne la vie. Nos sangs sont unis en un seul qui coule vivement dans mes veines. Je mastique lentement, la bouche juteuse, les yeux fermés, le corps heureux. Je remercie la nature pour sa générosité, la perdrix pour sa vie.

— Dieu que c'est bon !

Et mon sang bat le tambour de mon âme.

Joachim nomme la rivière qui prend sa source au fond de la baie du lac Petikao, la rivière au Tonnerre. Elle est toni-truante. Une imposante masse d'eau, noire comme de la mélasse, se tord, s'enroule sur elle-même, se précipite dans un assourdissant roulement de tambour géant. L'eau éclate en bouillons clairs dans une série de cascades qui ont creusé leur lit à même le flanc rocailleux de la montagne. Pulvérisée, elle givre le paysage, glace le sol, lustre les arbres.

Je marche avec précaution. Le portage est dangereux. Tout au long du parcours, j'entends les rugissements du torrent. La montagne est abrupte. J'ai vite fait de me retrouver en bas sur le plateau. Je poursuis ma route sur une série de petits lacs qui s'enchaînent les uns à la suite des autres. C'est la première journée ensoleillée depuis le *crash*. Le silence est total, rien ne bouge, comme si une sorcière avait, par une formule magique, plongé la nature dans un profond sommeil.

Mon esprit erre sans retenue sur la longue piste balayée par une fine dentelle de poudrerie. Ici, impossible de m'égarer. Il n'y a qu'une route et elle va droit devant, tracée par la succession de petits lacs ventrus, jalonnés de chaque côté par des collines basses et sombres. Je m'oublie en donnant toute la place à ma vie intérieure. Je marche avec un vide permanent dans la poitrine. Ma vue se brouille.

— Qu'est-ce que c'est ?

J'ai cru voir un point noir s'éclipser derrière la petite île.

— C'est sûrement un loup solitaire qui me fuit. Les traces dans la neige me renseigneront.

Je reprends ma marche. Intrigué, je presse le pas. Au détour de l'île, il n'y a pas de traces. Curieux ! J'aurais pourtant juré avoir vu quelque chose bouger…

— Tiens ! Le revoilà.

Je plisse les yeux, place ma mitaine en visière.

— Non… Non… Ce n'est pas un loup… C'est la silhouette… d'un homme. Un homme qui marche !

Je voudrais crier, mais je n'y arrive pas. Ma voix, atone, ne porte pas. Nous allons tous les deux, l'homme et moi, dans la même direction. C'est un vieil homme tout courbé d'avoir tant portagé toute sa vie, avec de lourdes charges sur les épaules. Il a les jambes arquées d'avoir tant marché en raquettes, d'avoir tant avironné, agenouillé dans son canot d'écorce.

— Il fume la pipe…

Un filet de tabac Rose-Quesnel me chatouille la gorge. C'est le tabac de mon grand-père, je le reconnais à son odeur sucrée. J'ai beau forcer la marche, je ne vais pas plus vite. Je n'arrive pas à me rapprocher de lui.

Le vieil homme porte ses raquettes sur son dos, une hache au manche court dans sa main gauche.

— C'est le vieux Joachim sur la piste du Champdoré! J'en suis convaincu, c'est Joachim.

Joachim atteint la rive du lac, entre dans la forêt comme un hibou et s'évanouit entre les troncs des arbres.

À l'orée du bois, aucune piste dans la neige. Rien! Joachim a disparu comme par enchantement. Je cherche le portage… Là, une marque fraîche sur le tronc d'un petit mélèze. Mais toujours aucun indice du passage d'un homme.

Croc! Croc! Croc!

— Un porc-épic!

J'ai tôt fait de le repérer dans son épinette noire au tronc rongé. Le bois blanc crève la talle d'arbres verts. Il est grimpé haut, en train de gruger l'écorce tendre.

Croc! Croc! Croc!

J'ai beau jeu, il est prisonnier de l'arbre qu'il est en train de manger. Il se soucie peu de ma présence. Le gardant toujours en joue, je m'empresse d'abattre une longue perche sèche. La tenant à bout de bras, j'essaie de piquer vivement l'animal au ventre pour le jeter au sol. Il pare chacun de mes coups, grimpe plus haut, se roule en boule, s'agrippe fermement des pattes d'en avant. Je le harcèle sans cesse, le cou cassé, les bras haut dans les airs. La tête me tourne, mais je n'arrête pas de le darder pour tenter de le déloger. Il lève la tête. Je change ma trajectoire et le frappe durement sur le bout du nez. Je le pousse d'un violent coup de bâton à l'estomac. Il culbute, bat des pattes, s'accroche au bout des branches. Trop tard. Son poids l'entraîne dans le vide. La boule noire tombe en chute libre.

Le porc-épic atterrit lourdement sur ses quatre pattes. Je me jette sur lui et de mon bâton menaçant, vlan! je lui assène un second coup sur le nez ! Assommé, il s'écrase dans un lit de piquants noirs qui jonchent la neige autour de lui. Je le renverse sur le dos du bout de mon bâton et lui pose un pied sur la gorge. La peau grise de son ventre dodu est lisse et transparente. Sans hésiter, d'un coup incisif, j'enfonce deux doigts, l'index et le majeur, à travers la peau. Comme une lame de couteau. Ils vont droit au cœur qui bat, encore chaud. Je plie les doigts en crochet, tire vivement, sectionne l'aorte. Le coup est mortel. Son corps se détend, ramollit. Tout s'est passé si vite, abasourdi, je prends le temps de souffler. La forêt autour de moi est étrangement silencieuse, immobile. Il est temps de monter mon campement pour la nuit. Je n'irai pas plus loin. Ici, j'ai tout ce qu'il faut.

Je racle à la hache les piquants raides qui hérissent le corps du porc-épic puis pour finir, je le gratte au couteau. Sa chair est dure, noire comme du sang coagulé. Dès que je serai installé, je vais le rouler légèrement dans la braise, pour brûler les piquants toujours incrustés dans la peau. Je vais ensuite découper la chair en fines lanières et les suspendre à sécher au-dessus du feu. J'aurai du pemmican[21] pour quelques jours. La nature est généreuse pour moi, mais je ne me suis jamais senti aussi seul dans ma vie qu'en cette sombre fin de journée.

8

TOUNDRA

Je croise des arbres chétifs, isolés et solitaires, qui me vont à peine aux genoux. Ils se recroquevillent, ferment les yeux, serrent les bras dans un ultime effort de survie. Ils font preuve d'un courage sans pareil…

Je lève la tête, écarquille les yeux de crainte et de stupeur ! Je me momifie sur le dos d'une longue roche scarifiée, totalement envahi par le territoire lunaire qui s'étend devant moi. Je prends racine dans la mousse et les lichens, perds toute notion de temps et d'espace. Ce que je vois et ressens dépasse l'entendement. J'ai tout à coup l'âge des arbres rabougris au grain fin, durcis par des millénaires de lutte sans merci pour pousser, vivre, s'épanouir.

Toutes les cordes sensibles de mon être sont magnétisées par le spectacle extra-ordinaire du désert noir. Son insondable solitude m'ensorcelle.

Je reste là, figé, ancré jusqu'aux genoux dans la bourrasque chargée de poudrerie, sans bouger d'un petit doigt jusqu'à ce que le froid sans pitié m'attaque sournoisement aux chevilles.

Le vent endiablé prend de la place et de l'ampleur. Il se prépare une soirée à sa façon, glisse les vieux crins résineux de son long archet sur les arêtes vives des blocs de granit, il virevolte sur les crans, gigue tout au long de l'esker[22], effleure en pleurant les montagnes, ces durs mamelons ronds usés par le temps. Possédé, le vent tape de la cuiller et du pied, steppe dans la toundra, joue à un rythme hallucinant le *reel*[23] du pendu de ti-Jean Carignan.

Une envie folle, irrésistible, de lancer haut et fort, un cri viscéral, puissant comme la marée à l'assaut d'un fjord, naît dans mes tripes. Je veux entendre de mes oreilles la voix intérieure avec laquelle je partage ma vie depuis si longtemps. Je veux hurler dans ce désert, oublié du monde.

— Mais crier quoi ? Pour dire quoi ? C'est la démence. Je deviens fou. Le froid et la solitude me font perdre la raison. Parler seul dans le désert glacial ! Concurrencer le vent et les loups sur leur propre territoire. Défier le silence !

Je veux coûte que coûte entendre ma voix dans cette solitude de roc. Je ne sais trop que dire… je dois casser la glace. Alors je risque, timidement :

— Ho ! Hoo ! Hohoo !

Les sons s'étouffent dans les longs poils qui bordent mon capuchon. Je le fais basculer. C'est tête nue, cheveux et yeux au vent qu'il me faut crier, et alors jaillit de mon ventre un bruit long, sourd et sauvage, que j'étire encore et encore dans ma poitrine, que je traîne dans ma gorge, comme si je portais son écho en moi. Tout mon corps résonne, libre :

— Toundra ! Toundraaa ! Tounnndraaaa !

Je m'entends ! Je m'entends ! Je suis envoûté par ma propre voix, la gorge sèche, les larmes aux yeux. Je m'entends. Mes oreilles bourdonnent. Mes tympans battent la mesure de l'écho. Je suis ému et troublé. C'est bien ma voix, je le sais, je la reconnais. Mais elle est étrange, comme la voix d'un adolescent qui mue ! Encouragé, je recommence avec plus d'énergie, de conviction :

— Toundra ! Toundra ! Toundra !

De plus en plus clair, de plus en plus ferme. Je prends le vent par surprise, déstabilise le silence et la solitude. Je chante toundra ! toundra ! en me tapant dans les mains avec mes grosses mitaines, comme si je battais le grand tambour rond et fécond sous la tente. Je sautille sur l'esker en dansant mon *makoucham*[24]. Toundra ! Toundra ! Mon bâton de marche haut au bout de mes deux bras écartés, je danse en cercle sur les traces du soleil. Je salue l'Est, je salue le Sud, je salue l'Ouest. Je m'immobilise au Nord. Soudainement, je clame une phrase qui surgit de mes entrailles, je crie : « *Je suis un fils déchu de race surhumaine.* » Ma voix est emportée par le vent aux confins de la toundra arctique.

Je deviens, moi, Pierre McKenzie, le froid et la bourrasque, le minéral et la solitude, le vent et le silence, émerveillé par la nature toute nue, sans fard, sans artifices et je ressens l'amour profond, le respect et les craintes incommensurables que mes ancêtres éprouvaient pour elle. Je comprends qu'il ne soit jamais venu à l'idée de mon grand-père Mushum, de ma grand-mère Kokum ou du vieux Joachim de l'asservir ou de la dompter. La nature ne peut être l'esclave de personne et la toundra devant moi, c'est la liberté, le défi de vivre. Épuisé, je ne peux retenir deux grosses larmes chaudes qui gèlent en perles de glace dans le repli de mes narines. Je rabats vivement mon capuchon.

Je monte instinctivement sur une butte dénudée, pour mieux fouiller le paysage. Le promontoire sur lequel je suis a jadis servi de point d'observation. Un muret de pierre circulaire est érigé en brise-vent. Sans hésiter, je m'assois au centre sur une pierre plate posée là comme banc. Je me sens bien, à l'abri du grand vent jusqu'aux épaules. De mon poste, j'ai une vue imprenable sur les montagnes, la vallée, la ligne des arbres. Je pourrais en un clin d'œil détecter le moindre mouvement à des milles à la ronde. C'est ici que les chasseurs se postaient, immobiles et invisibles, pour attendre patiemment, sans se faire sentir, les hardes de caribous sur le chemin de leurs migrations. Je me glisse dans la peau de mes ancêtres, pose mes pieds dans leurs traces. J'ai tout mon temps pour rêver, laisser errer mon imagination fertile, me raconter mille et une fabuleuses histoires de chasse, de pêches miraculeuses, d'exploits surhumains. C'est comme si j'écrivais tous ces récits dans mon cœur pour ne jamais les oublier, avec peut-être l'espoir, ce soir sous la tente, de me transformer en parole vivante pour les raconter aux miens et plus tard, à mes enfants. Mushum m'avait un jour raconté une histoire tirée de ses souvenirs de jeune chasseur :

— *À l'automne, quand nous arrivions au grand lac Ménéhek, sur le haut plateau du Labrador, mon père faisait monter le campement sur la rive. Là, nous attendions tous le moment propice pour entreprendre la dangereuse traversée. L'eau était froide, agitée. Parfois, il neigeait. Au fil des jours, d'autres familles qui comme nous montaient passer*

*l'hiver sur leur territoire, nous rejoignaient.
Il fallait être patients, attendre le bon moment.
Les hommes surveillaient la température,
observaient les formations d'outardes qui
volaient vers le sud. Ils scrutaient le ciel,
humaient l'air… et une bonne nuit, claire et
calme, mon père donnait enfin le signal tant
attendu. En un rien de temps, les tentes
étaient démontées, roulées, les bagages
ficelés, empaquetés, minutieusement arrimés
au fond des frêles canots d'écorce de bouleau.
Nous, les enfants, nous nous asseyions au
fond. Nos chiens sur nos genoux nous
tenaient au chaud. Les canots étaient poussés
au large dans un grand silence. Pour ne pas
ameuter les mauvais esprits du lac, nous
partions en douceur. Les hommes à la poupe,
les femmes à la proue, le vent dans le dos, ils
avironnaient puissamment toute la nuit,
toute la journée sans repos, jusqu'à ce que
nous ayons rejoint l'autre rive. Il y a une île
au milieu du lac. Elle a sauvé plusieurs
Innus qui, pris par surprise, ont réussi à s'y
réfugier à temps. Mais l'île est aussi un
cimetière, et quand nous la frôlions, nous
priions pour la mémoire des morts et les
aînés jetaient des pincées de tabac à l'eau
pour amadouer le grand Manitou.*

À partir d'ici, il n'y a plus d'arbre marqué pour me guider. Il me faut trouver autre chose : des amas de roches érigés par des mains d'homme et de femme, un sentier usé par des mocassins qui ont érodé la pierre et le pergélisol, écrasé la mousse et les lichens. Je plisse les yeux, j'ajuste mon regard comme si j'avais une lunette d'approche… À l'horizon, sur un bloc erratique qui jure dans le paysage, un monticule insolite.

— Une petite pyramide ? Un repère ? Un cairn ? Ça me paraît logique.

Je trace alors la route que je suivrai dans ce désert. À gauche, c'est la toundra à l'infini qui s'ouvre comme le golfe d'un grand fleuve. À droite, elle s'étire à n'en plus finir, s'enfonçant profondément comme un fer de lance à l'intérieur de la taïga. Pour atteindre le Champdoré, je dois traverser la toundra tout droit, d'un seul trait, sans jamais m'arrêter.

— J'en ai certainement pour deux jours de marche…

La nuit, la toundra disparaît, se métamorphose en un impénétrable monolithe de noirceur. Il n'y a plus ni ciel ni terre.

C'est le vide total. Sans abri, sans bois de chauffage, sans arbre…

— Et si le vent imprévisible se déchaîne ?… Si la tempête se lève ?… Et où dormir ? Terré entre des blocs de roche ! Blotti dans une crevasse ! Non.

Je revois minutieusement le plan de Joachim en balayant le paysage où rien ne bouge.

— À moins… à moins… de marcher au clair de lune ! Oui ! Oui ! Je ne vois rien d'autre. Traverser la toundra en profitant du clair de lune.

C'est certainement ce que le vieux sage a voulu signifier en traçant sur son plan un trait au charbon surmonté d'un grand cercle.

— La lune noire, c'est la pleine lune.

Je monte ma tente en retrait, me prépare minutieusement du pemmican de porc-épic.

Il n'est pas permis de voler la nuit en hydravion. Mais un soir d'août, la lune était si belle, si pleine, si resplendissante de chaleur et de soleil que j'ai succombé à son appel. J'ai offert à la belle et douce Marie, que je venais à peine de rencontrer, une balade en grand secret dans la Voie lactée. Discrètement, nous nous sommes rendus au quai désert à cette heure. J'ai poussé l'avion de l'aviron et nous avons dérivé au large au gré des flots. Puis nous nous sommes envolés le cœur serré en suivant la piste argentée, scintillante de tous ses feux, tracée sur le lac par le rayon de la lune. Nous avons lentement pris de l'altitude, cap au nord. Nous avons frôlé l'étoile Polaire et sommes vite devenus une étoile parmi les étoiles, glissant le long d'un fil d'araignée tendu, dans une toile argentée tissée à la grandeur du ciel. Cette nuit-là, mon Otter volait comme un cygne. Nous avons décrit un immense cercle autour du lac Squaw, entre ciel et terre, comme si nous n'étions nulle part et partout, profondément émus par l'étrange beauté du paysage dans lequel nous voguions.

La vue était féerique, la Voie lactée animée par les palpitations des astres et les feux des étoiles filantes qui fuyaient à l'horizon. En dessous, tout près, les lacs, les rivières, les montagnes immobiles se découpaient en des formes étranges, comme de grandes ombres sur une immense peinture.

Nous étions émerveillés, plongés dans un monde mystérieux, sous la haute bienveillance de la lune. On se parle toujours à l'oreille dans la cabine d'un hydravion. Je me suis penché et j'ai dit à Marie :

— Regarde, Marie, comme elle est belle. Je pense qu'elle nous sourit.

Elle a tendu les bras, et m'a répondu :

— Je pourrais te la décrocher !

Le nez dans ses longs cheveux, envoûté par son doux parfum de mûre, je lui ai volé mon premier baiser dans le cou. Un baiser au clair de lune, à mille pieds d'altitude.

Nous avons volé en amoureux jusqu'aux lueurs du jour couleur fuchsia. Et nous avons amerri en longueur pour faire durer le plaisir, presque sans faire de bruit, dans une légère brume humide qui s'étiolait sur le lac calme. Déjà le soleil éclatait dans notre dos à l'encoignure des montagnes.

Nous avons été les premiers clients du restaurant de l'hôtel Royal. Esther avait déjà commencé à préparer les petits déjeuners de ses clients. Il faisait chaud dans la vieille salle à manger aux tables recouvertes de nappes à carreaux rouges et blancs en toile cirée. De bons arômes de café infusé au percolateur et de bacon rôti sec flottaient dans l'air.

Esther, en tablier blanc jusqu'au cou derrière son comptoir luisant, leva la tête, surprise, la cafetière à la main :

— *Bonjour, les amoureux. Vous êtes matinaux ce matin !*

Elle remplit nos deux énormes tasses de café fumant, en même temps que nous nous asseyions près de la fenêtre. C'était ma place préférée.

— *Qu'est-ce que je vous sers… madame ?*

— *Marie ! Elle s'appelle Marie.*

— *Qu'est-ce que je te sers, Marie ?*

— *Du pain doré !*

— *Avec sirop d'érable ?*

— *Oui ! Oui ! J'adore le sirop d'érable !*

— *Toi, très cher, je ne te le demande même pas : deux œufs miroir, pain brun grillé sans beurre, tomates et petites patates !*

— *Esther, je n'ai plus de secrets pour toi !*

— *O.K., je vous prépare ça en deux temps, trois mouvements !*

— *Je vois que tu es un habitué du restaurant…*

— *Oui. Je suis un lève-tôt. J'aime prendre mon petit déjeuner au restaurant. Tu sais, les pilotes de brousse ont des horaires impossibles. C'est un drôle de métier mais pour moi, c'est le plus beau du monde. L'hiver, c'est tranquille, mais l'été je vole du lever au coucher du soleil, souvent sept jours sur sept…*

— *Et même la nuit !*

— *Ça, c'est exceptionnel…*

— *Tu sais, Pierre, je me suis sentie merveilleusement bien là-haut, avec toi.*

— *Et sur terre ?*

— *Je me sens très bien aussi. Et toi ?*

— *Dans le ciel comme sur terre, avec toi, je me sens comme un poisson dans l'eau.*

Nos mains se rejoignirent sur la table.

— *Attention ! Le pain doré pour sucrer le bec de madame ; les œufs miroir pour monsieur. Bon appétit !*

Je me souviens de ce vol au clair de lune comme du moment le plus émouvant de ma vie.

— Mes bagages ? Mon toboggan ?

Je devrais, si j'étais sage, en laisser derrière pour m'alléger. Mais je ne peux me faire à l'idée d'abandonner quoi que ce soit. Tout ce que j'ai avec moi devient de plus en plus précieux, indispensable à mon bien-être, comme si le peu que j'ai faisait partie de moi-même. Mille fois dans ma tête, je me prépare au moment du départ. J'organise tout méticuleusement sans rien oublier :

— Je vais d'abord répartir le matériel sur le toboggan. J'enroulerai ensuite la toile de tente autour, très bien attachée. Je me ferai des bretelles avec la courroie de trait et je porterai tout mon barda, y compris mon toboggan, sur mon dos, comme un havresac en équilibre sur mes épaules.

Je casse des branches sèches, écrase des brindilles, ramasse des cocottes gorgées de résine et je fourre tout cela dans mon sac à bandoulière par mesure de précaution. J'attends le moment propice pour entreprendre la traversée de la toundra.

9

INUKSHUK

Chaque jour, de mon observatoire, je scrute attentivement la toundra, comme un harfang des neiges à l'affût d'un lemming. J'attends, hume l'air et, un soir, je sens dans les pulsions de mon sang que le moment de me remettre en marche est arrivé. Le temps est étrangement calme. Cette nuit, ce sera la pleine lune. J'ai des fourmis dans les jambes, une envie irrésistible de m'enfoncer dans la toundra que j'observe de loin depuis je ne sais plus quand.

J'arrime mes bagages méticuleusement sur le toboggan. La moindre pacotille brinquebalante finit par peser une tonne, un petit déséquilibre devient un fardeau insupportable. Rien n'est laissé au hasard. Enfin, je pose ma traîne sauvage chargée sur une roche, à la hauteur de mes yeux et j'enfile les bretelles. Le long traîneau dépasse de chaque côté de mes épaules, mais tout compte fait, il est moins lourd que je l'imaginais. Je fais quelques pas, m'aidant de mon bâton de marche.

— Ça va !

Je prends résolument la direction de l'énorme bloc rocheux qui se détache comme un conteneur dans le soleil couchant. J'avance prudemment en balayant sans cesse le sol des yeux. Je prends au fur et à mesure de l'assurance. Je m'habitue aux surfaces dures de la toundra. En certains endroits, elles m'apparaissent lisses et cuivrées comme des joues gonflées ; à d'autres, elles sont striées comme si un oiseau tonnerre[25] les avait scarifiées de ses puissantes griffes en se posant brutalement sur terre.

Je lève de temps en temps la tête pour m'assurer que je chemine dans la bonne direction. J'ai l'impression de ne pas progresser. Je vais machinalement de l'avant, courbé comme un bossu, chargé comme une mule. À chaque pas, mon bâton tape sur le roc. Ses toc ! toc ! toc ! réguliers retentissent dans l'air sec et solitaire.

Je marche, seul de ma caravane, d'un pas lourd. J'ai l'allure d'un oiseau étrange aux longues ailes rigides. Un oiseau vêtu d'amples fourrures de bête, venu d'un autre monde. Je cale ma tête au fond de mon capuchon, j'enroule mon foulard autour de ma bouche, ne gardant qu'un petit espace libre en guise de visière. Toc! Toc! Toc!

Le jour est sur le point de tomber définitivement quand je pose enfin les deux mains sur l'arête de mon repère, à la hauteur du menton. C'est bien un cairn, un monticule de pierres plates empilées les unes sur les autres, un travail d'homme. Je suis sur la bonne route. Le cairn indique le nord. L'étoile Polaire brille à l'horizon. Le ciel me guide sur terre.

Je vais obstinément de l'avant. Le froid intense me saisit dans ses griffes. Je respire dans cette glacière à ciel ouvert des coulées de braises qui me brûlent les narines et les poumons. Toc! Toc! Toc!

Le temps est au beau fixe. À droite, derrière, à gauche, puis tout au fond du ciel diaphane apparaissent, comme sorties une à une d'une boîte à surprises, de grosses étoiles qui clignent de l'œil.

En un rien de temps, elles sont une multitude. La lune illumine le ciel et éclaire mon chemin dans la toundra. Les roches ancrées dans le sol se drapent de leur costume du mardi gras, parsemé de paillettes de frimas et d'éclats de mica. Toc! Toc! Toc!

Je marche à cheval sur les crêtes sombres, ma pensée enfouie dans le désert de mon âme… tout à coup, un hurlement me surprend… un hurlement long et poignant, venu juste d'à côté, déchire la quiétude opaque, me prend totalement au dépourvu. Je tressaille, mal dans ma peau comme quand la sonnerie aiguë du téléphone me réveille violemment la nuit.

— Non !

Et sans hésiter un instant, toc! je me ressaisis et poursuis ma route comme si de rien n'était. Tout au plus, j'accentue les durs toc! toc! toc! de ma vieille branche sèche. Elle seule est témoin de mon angoisse.

J'ai vu les yeux de braise me toiser au clair de lune, un grand corps sombre, poilu, détaler la queue à l'horizontale, se camouflant comme un maraudeur entre les roches. C'est au creux de mon ventre, là où je suis le plus vulnérable, qu'a hurlé le loup solitaire. De tous les temps, le grand chasseur a sans cesse provoqué les Innus. « Qui es-tu ? Que fais-tu sur mon territoire ? » me demande-t-il. Il fait valoir ses droits de chasse. J'ai aussi les miens et je vais les faire respecter. Toc ! Toc ! Toc ! Les humains ne savent rien de la nuit. Voilà pourquoi elle nous fait si peur.

Mes ancêtres empruntent ce sentier depuis des milliers d'années. J'ai un droit d'aînesse et celui du sang. Ce pays est le mien. Je ne vois plus son ombre courroucée. Je n'entends plus sa voix rauque. Il n'est pas loin, me flaire, m'épie. Nous nous reverrons. Les routes des hommes et des loups finissent toujours par se croiser.

L'humidité de mon souffle se condense dans ma barbe. Des glaçons poussent aux commissures de mes lèvres. Ma moustache, prise dans mon foulard, se glace comme le pourtour d'un ruisseau à la première grosse gelée d'automne. Le frimas dentelle mes sourcils. Je ferme les poings dans mes mitaines pour dégeler mes doigts dans les paumes des mains, recroqueville les orteils dans mes *mukluks*.

Je suis fragile et petit dans ce désert aride, même pas de la taille du flocon de neige qui, insouciant, virevolte sous mon nez ; encore plus jeune qu'une brindille de lichen qui se cramponne à la paroi rocheuse, solitaire dans les puissants mugissements du vent et le pesant silence du temps… et pourtant si enthousiaste, plein de vie comme une petite flamme chétive mais prometteuse dans un fagot de brindilles. Je ressens une grande joie dans le sang qui parcourt mes veines et l'amour qui habite mon corps. Fort. Maître de moi-même. Libre. Invincible, comme Tchékapesh[26] dans la légende. Je porte en moi la détermination et la ténacité de tous ceux qui m'ont précédé sur cette terre. Je suis en cet instant d'éternité plus que jamais leur héritier, le dernier de la lignée, l'homme de la toundra. Je décèle dans la mousse foulée et le roc usé les vestiges d'un sentier mille et une fois battu par des mocassins en peau de caribou.

— Je ne m'arrêterai pas. Non ! Je vais marcher, poser sans arrêt un pied devant l'autre. Ce qui sauve, c'est de faire un pas, puis encore un autre. C'est toujours le même pas que je recommence. Et si tout mon corps me criait le contraire, j'irais jusqu'au bout de ma route, jusqu'à l'extrême limite de mes forces.

Des amas de pierres concassées aux arêtes vives, bousculées comme des morceaux de glace dans la débâcle, se sont accumulés dans le repli des collines. Je sautille à droite, à gauche, posant le pied là où la surface m'apparaît la plus sûre, comme le draveur qui court sur les billots qui flottent, sa longue gaffe à la main pour se tenir en équilibre. À tout instant il peut glisser, perdre pied, disparaître dans les flots.

Les bretelles étroites lacèrent mes épaules, me blessent aux aisselles. Je donne souvent des coups de rein pour recentrer le fardeau sur mon dos. Je raccourcis le pas, courbe l'échine comme un vieux portageur fatigué à la fin du jour. J'écarte les jambes et m'appuie sur ma canne pour faire face au vent têtu qui s'accroche dans le toboggan.

Mes *mukluks* sont des boulets de glace. Je piaffe comme un percheron pour rétablir la circulation de mon sang dans mes pieds et je poursuis mon chemin en posant inlassablement un pied devant l'autre.

Un… deux… trois… quatre.

Un… deux… trois… quatre.

Mes joues, mon nez, mon front sont insensibles, durs comme si je les avais frottés à l'arcanson. Je me secoue la tête pour me tenir éveillé. J'ai horriblement peur, car je n'ai jamais pu résister au sommeil…

Un… deux… trois… quatre. Je tiens le rythme, bats la mesure, avance.

— Dormir… Dormir… Ne fût-ce que quelques secondes. Je souffre le martyre, me violente pour continuer. Avancer ! Arrêter, c'est accepter de mourir.

Mes paupières sont lourdes comme des rideaux de velours. Je m'engourdis au froid comme un lézard au soleil. Si je m'écoutais, je m'abandonnerais n'importe où : dans la première crevasse venue, dans un repli rocheux. Les pierres sont des oreillers de plume, des flocons d'ouate ; les lames de neige, duveteuses comme une douillette soyeuse, gonflée.

Je suis de plus en plus léger, vaporeux comme un flocon de neige.

C'est peut-être cela la mort, le paradis, ne plus sentir dans ses os le fardeau de son corps, le poids de son âme. Être transparent, aérien et silencieux comme un monarque.

Une longue fenêtre claire comme une rivière au lit de gravier s'ouvre à l'horizon. Le jour se lève. La lune vêtue de pâle se couche, sa nuit terminée.

Un… deux… trois… quatre.

Tant et aussi longtemps que je pourrai mettre un pied devant l'autre, il y a de l'espoir. Dans le froid, il faut avancer, sans cesse marcher. Je cherche ma route sur la montagne. Je ne vois plus rien. Je résiste de toute ma volonté à la berceuse que me fredonne sans cesse à l'oreille l'ensommeillement sournois.

Je repère au loin, très loin, à travers mon masque de frimas, une forme surprenante, une énorme colonne sombre, un pilier trapu sur la plus haute colline. Les yeux ronds, je me secoue, essaie de comprendre.

— On dirait un géant vêtu de noir…
comme un curé dans sa longue soutane.
C'est le missionnaire! L'évêque! Mais
que me veut-il? Il me montre la route.
« Viens! Viens! Sois sans crainte »,
semble-t-il dire.

Il est immobile, rassurant, d'un calme
imposant. Sa puissante silhouette se
découpe dans le vitrail dépoli de l'aurore.
La toundra est une immense cathédrale
accueillante et solennelle.

— Ce bon Samaritain m'offrira certainement à manger? Du thé chaud? Un lit
où je pourrai m'étendre en toute quiétude, dormir en toute sécurité? Dormir
un peu avant de reprendre ma route
pour le Champdoré.

J'ai soudain un regain d'énergie. Je
reprends courage, me rapproche, fasciné,
hypnotisé, les yeux hagards dans le
brouillard. Je sais maintenant qui il est.
C'est celui que l'on appelle *Inukshuk*,
l'homme de pierre. Je le croise parfois du
haut des airs. Il me sert de repère. Mais
là, je suis à ses pieds, impressionné. Je ne
l'ai jamais vu d'aussi près. Il veille sur les
montagnes comme un phare sur une île
sauvage du golfe Saint-Laurent, sans

cesse battue par des vagues mons-
trueuses et des vents rudes.

Le monument, impassible, immuable,
les bras épais, tendus en croix de chemin,
impose sa présence sévère sur toute la
toundra qu'il domine d'un regard de fer.
L'*Inukshuk* est fait de lourds blocs de
roche noire posés en équilibre les uns sur
les autres. Le géant au corps massif et
rugueux, aux épaules carrées, aux
jambes solides comme les colonnes d'un
temple, respire la puissance et l'éternité.
Il impose le respect.

Les chasseurs de la toundra l'ont coiffé
d'une énorme tête de caribou blanchie
par le vent, la neige, la pluie, le soleil et
le temps. Les bois démesurés et squelettiques du panache montent en volutes
comme deux bras tendus vers le ciel et
dont les mains largement ouvertes,
implorent la générosité des dieux. Un
long crâne de loup gris, posé dans sa
poitrine de roc sur ses crocs ivoire, lui
tient lieu de cœur.

L'homme de pierre à tête de caribou et
cœur de loup est ici dans son royaume :
solitaire, dur, mystérieux, à la fois roi,

maître et citoyen incontesté de ce fief
pétrifié.

— Depuis quand règne-t-il ? Depuis la
nuit des temps ! Qui étaient ces hommes
et ces femmes qui ont de leurs mains
érigé sur ce promontoire unique ce
monument qui témoigne de leur histoire,
de leurs croyances et de leur présence
millénaire sur ce territoire ?

Je cherche un coin paisible pour
m'abriter, me reposer un instant. Je suis
tellement fatigué, à bout de force. Je
n'abandonne pas.

— Non ! Jamais de la vie. Je veux juste
un tout petit instant me délester de
ma charge encombrante. C'est déjà un
miracle que je sois rendu ici. Ce soir, je
camperai au Champdoré. Je mérite bien
quelques instants de repos. Puis, je le
jure, je reprends ma marche. J'en suis
capable. Je vais souffler un peu. Il n'y a
pas de mal à cela. Je vais allumer un feu
de brindilles. J'en ai plein mon sac. Me
réchauffer les mains. Elles ont tellement
besoin de chaleur. Je ne les sens plus.
Tiens, il y a une belle crevasse qui coule
au pied du rocher, derrière l'*Inukshuk*.

Je vais m'allonger deux minutes.

— Deux petites minutes, ce n'est pas l'éternité…

Mais… mes oreilles bourdonnent… j'entends le mugissement insolite, long et bas d'une corne de brume.

— D'où cela peut-il bien venir ?

Quand j'étais petit, je m'amusais sur la rive du grand lac Ashuapmushuam à souffler dans le goulot d'une bouteille de Coke vide. J'imitais les bateaux invisibles qui naviguaient au large dans la brume opaque, vers des ports mystérieux que je ne connaissais pas. Je les avais entendus un jour sur le bout du grand quai de Sept-Îles. Leurs signaux caverneux couraient en frissonnant sur la mer et se mêlaient aux puissants souffles des baleines que je ne voyais pas mais que je savais là, tout près, dans le chenal.

Je cherche le souffle… suis le son. Je vois une petite tasse… une tasse à thé en fer-blanc, tachetée de rouille et de bleu, coincée dans une faille. C'est dans cette tasse à thé que roule le vent. C'est elle la corne de brume. Elle est à peine visible, prise dans une lézarde. Sans le vent, je ne l'aurais jamais remarquée, et juste à côté… la lame oxydée d'un couteau croche. J'allonge le bras, à quatre pattes, le toboggan de travers sur le dos, et racle la mousse du revers de ma mitaine. Je découvre une minuscule croix argentée et quelques mailles d'une chaîne incrustées dans la pierre, comme une écriture ancienne sur la paroi rocheuse d'une grotte. Je suis profondément bouleversé.

— C'est ici, dans cette crevasse, que le vieux Joachim, à bout de ressources, gelé, a terminé sa course. C'est ici qu'il est mort.

La tristesse m'envahit. Plus j'avançais, plus je me sentais près de lui. Je m'imaginais même parfois que j'allais le rencontrer au détour d'une île, au milieu d'un sentier bordé d'épinettes. Quelle joie j'aurais eu à lui serrer la main, à lui taper sur l'épaule, à voir briller de plaisir ses petits yeux noirs, bridés. « Comme les yeux d'un vieil ours », disait Anne.

Je ne m'étais pas fait à l'idée qu'il était mort. Je pose la tasse et la lame sur les restes du chapelet et avec les pierres qui sont à la portée de mes mains, je construis dessus, pierre sur pierre, une petite pyramide. C'est ici que repose maintenant mon guide. Debout sur mes genoux, droit devant la tombe, je rends un dernier hommage à Joachim. Je me recueille et prie pour lui et pour moi, moi qui à aucun moment de ma vie n'ai senti le besoin de prier. Il y a des lieux et des moments dans l'existence qui commandent tout naturellement le recueillement et la prière.

— *Tshinashkoumiten*! Merci, mon vieux Joachim, de m'avoir guidé jusqu'ici. Je continuerai toute ma vie à suivre tes traces et je vais, comme tu l'as fait pour moi, tracer la route à mes enfants et à mes petits-enfants. Que ton esprit qui erre dans la toundra repose maintenant en paix au côté de ton frère, l'homme caribou au cœur de loup. *Tshinashkoumiten*. *Yamé*. Au revoir.

Si j'étais seul sur la terre, si on ne m'aimait pas, je me coucherais ici, enveloppé dans mes rêves et la neige. Je me remets péniblement sur mes pieds. Mon corps me fait mal. Je m'appuie lourdement sur ma vieille branche et reprends résolument mon sentier, mon fardeau plus lourd que jamais sur mon dos.

Il y a de toutes petites tombes anonymes, creusées à la main dans le sable fin des déserts ou faites d'empierrement à fleur de pergélisol. D'autres sont à peine visibles à la fin des portages ou à la croisée des vieux sentiers. Nombreuses sont celles qui n'existent plus que dans la mémoire des aînés. Toutes ces tombes sont plus émouvantes et remplies d'histoires plus merveilleuses que les imposants mausolées des cimetières les plus courus.

Toc ! Toc ! Toc !

Un… deux… trois… quatre.

Dans la toundra, la vie et la mort se confondent et quand tombe la nuit, tout peut arriver. C'est dans la nuit que se jouent les drames les plus inattendus et parfois, le matin, il n'en reste plus rien !

10

LA TOURMENTE

Le sentier décline doucement. Un vent de dos souffle dans mes ailes. Je me laisse porter par mon poids. Mes muscles se détendent, mon sang se réchauffe, se clarifie. Je fais des pas de géant dans mes *mukluks*. Je fonce droit devant, comme un *Beaver* surchargé qui amerrit avec un fort vent de queue.

La lune a toujours tout son temps, l'éternité devant elle. Elle voyage en silence, tranquille et patiente, comme une montgolfière au gré de l'alizé. Mais le soleil, lui, n'a pas de temps à perdre. Il est pressé, il faut courir sans cesse pour le suivre. Le jour, tout se précipite.

Toc ! Toc ! Toc !

Des nains sombres, au visage tourmenté, au corps tordu, surgissent ici et là du sol. Ils se dissimulent derrière les roches ou se cachent dans des dépressions du terrain. Ce sont les gardiens de la terre, des sentinelles rigides et muettes, postées dans la toundra en avant-poste de la taïga. Ils m'ont à l'œil. J'approche de mon but.

Ma vieille branche ne « toque » plus. Je marche sur un tapis de neige compactée, rude, qui crisse sous mes pas dans le froid intense du demi-jour. En contrebas, encore loin mais bien visible, se déroule le sombre ruban des arbres. Les épinettes de plus en plus nombreuses me vont aux épaules. Le sentier se faufile entre les branches qui se frôlent du bout des doigts. De l'autre côté sommeille l'immense Champdoré sous sa couette de neige et de glace.

Je m'enfonce dans une talle de conifères qui poussent dru. Les ailes de mon toboggan s'accrochent aux branches. Je marche de côté pour passer. Je songe à m'en défaire quand soudainement je débouche sur une petite clairière. À mon grand étonnement, ce lieu a jadis été habité. Les vestiges d'un campement sont toujours là, au beau milieu, comme s'ils attendaient patiemment la visite d'un prince charmant pour sortir d'une profonde léthargie. Je bénis les Anciens qui ont eu la sagesse de laisser derrière eux, à l'usage de ceux qui viendraient sur leurs traces, une structure de perches montées en faisceau, un foyer en pierre, du bois de chauffage rangé sous les branches d'une grosse épinette. Leur clairvoyance a certainement sauvé bien des vies, comme elle sauve la mienne en cette fin de journée.

— Je n'arrive pas nulle part. Non ! Je me sens accueilli dans une halte, comme si on m'attendait.

Je vais au plus pressant. Je me déleste de mon toboggan pour la première fois depuis hier soir. J'ai marché pendant vingt-quatre heures sans arrêt. Je ne pourrais pas aller plus loin. Libéré, je me sens léger. Je marche en levant haut les genoux… mais chaque seconde compte. Avec la nuit, le froid tombe comme une chape de plomb sur la forêt. Je vide mon sac au complet entre les pierres du foyer. Je casse ma dernière chandelle en deux et j'en plante une moitié au milieu d'un nid que je fais grossièrement au cœur des branches sèches et des cocottes. Je tape dans mes mains, me dégourdis les doigts dans mes mitaines. La glace prise dans mon foulard et ma barbe gèlent mes lèvres et mes joues. Agenouillé, je coince ma hache entre mes genoux, libère ma main droite. Le froid intense m'attaque sur-le-champ. Je pige une allumette de bois dans ma poche ventrale et la frotte d'un coup sec sur le métal. Le soufre blanc explose en jets jaune et bleu. Je l'enfonce dans les broussailles jusqu'à la chandelle. La cire fond, la mèche noircit, s'allume. J'aplatis l'amas de bois sec sous ma mitaine. J'attends patiemment incliné, hébété, que la chandelle fasse son œuvre… une fumée noire et âcre s'étale. Je sais à l'odeur que le feu se propage dans le fagot. Ça me rassure. Je couvre machinalement le sol de quelques branches d'épinette, entasse du bois dans un coin, déroule ma toile et la tends sur les perches autour du foyer, entre tout mon barda avec le toboggan et je ferme pour la nuit. Ce soir, une installation rudimentaire me suffira. Pour l'instant, ce qui compte, c'est de couper le froid, me réchauffer et me reposer.

Mes muscles sont secoués de spasmes incontrôlables. À bout de force et de résistance, je reste longtemps agenouillé sur mes talons, les yeux ronds comme ceux d'un chat qui chasse la nuit. Je coule dans le néant comme une roche au fond de l'eau. Ma course se termine ici. Je viens de traverser la ligne d'arrivée. Mes plaies sont à vif sous mes vêtements encombrants et rudes, mes pieds enflés et meurtris, mes os et mes muscles me font souffrir. Une eau froide dégouline dans l'encolure de mon cou et se répand sur ma poitrine. Je déroule mon foulard gelé et j'arrache du bout des doigts les glaçons incrustés dans les poils de ma moustache et la barbe de mon menton. Mais ces douleurs sont déjà du passé.

— Je suis vivant! J'ai traversé ce gigantesque désert. La toundra.

Comme une grenouille figée dans la vase froide de sa tourbière, j'attends que la chaleur me dégourdisse. De temps en temps, je place des copeaux de bois dans les tisons pour soutenir le foyer dans son dur combat contre le froid.

Les flammes se contorsionnent, pleines d'énergie. Le bois chante. Je les vois, élancées et sveltes, surgir à l'improviste du brasier, s'emmêler et valser sur la toile de la tente. Les ombres des couples me sont de plus en plus familières. Elles sortent de la piste de danse, viennent me chercher et tous par la main nous dansons le *makoucham* en farandole. La chaleur, les couleurs, l'odeur du feu m'ensorcellent.

L'eau frémit dans le vieux chaudron noirci et cabossé. Il en aurait des récits épiques à me raconter si tout à coup il se décidait à me parler. Je jette dans le chaudron, comme le faisait grand-mère Kokum, ma dernière ration de thé, celle que nous gardons précieusement en secret pour le grand jour. Ce moment exceptionnel est arrivé ! Je vais savourer la tasse de thé qui redonne courage à ceux qui n'en ont plus, celle qui rappelle que la vie vaut la peine d'être vécue.

J'entends le dernier-né téter goulûment le sein de sa mère qu'il tient à deux mains. Deux filets de lait chaud coulent aux commissures de ses lèvres. Les chasseurs, des ombres solennelles dans la pénombre, nourrissent le feu. Ils se parlent à voix basse, douce comme

les battements d'ailes d'une grande chouette. La grand-mère fait le partage d'un tout petit restant de graisse de caribou.

Nessipi l'aîné, les cheveux gris ébouriffés, les yeux perçants défiant la misère qui l'accable et la faim qui le tenaille, se tient fièrement assis, les jambes croisées sous lui, comme un aigle à tête blanche dans le cercle de son nid. Il jeûne. Cette nuit, il battra la peau tendue du grand tambour, rond et fécond comme une pleine lune, que sa femme a pris soin de suspendre devant lui. Il chantera fort à haute voix et en silence dans son cœur, tandis que son esprit planera sur tout le territoire du Champdoré à la rencontre de l'esprit du Grand Caribou. Il lui rend grâce et le remercie d'avance pour sa générosité de tous les temps envers les Innus.

À l'aube, discrètement, les chasseurs partiront pour la montagne. C'est là que le Mishtanapéo[27] a rencontré le troupeau au cours de la nuit. C'est là leur dernier espoir de nourriture, sinon, ce sera la famine extrême, et peut-être, la mort. Dans son voyage nocturne aux vibrations du tambour, le vieux chef inquiet a vu la puissante meute de loups, affamée elle aussi, tourner inlassablement

autour du troupeau. *Il garde cette vision pour lui.*

Terré dans ma vieille momie, je me roule sur moi-même. Je garde à la portée de la main un tas de brindilles. J'ai peur de m'endormir profondément, d'oublier d'alimenter le feu qui mange sans cesse comme un ogre insatiable. Mes lourdes paupières tombent, me font souffrir. L'endormitoire[28] me torture. Une douleur profonde irradie dans tout mon corps. Ma tête de pierre s'affaisse sur ma poitrine. Mon esprit divague dans la grisaille du crépuscule. Je me tapis dans la neige.

Nessipi, vêtu d'une grande peau de caribou, se faufile tel un carcajou entre les pierres de la toundra. Courbé, à l'affût, il s'arrête, broute comme un caribou : il chasse, se confond avec la neige, la roche, la mousse et les lichens. Disparaît !

— *Où est le vieux chasseur ?*

Il réapparaît au milieu de la harde.

— *Est-ce bien lui ?*

Pan !... Pan ! Pan ! Les bêtes s'affolent en désordre. Pan !... Les caribous, pris par surprise, tombent à la renverse, foudroyés, les pattes coupées. Il en tue sept. Nous avons de

quoi manger et nous vêtir. Nous sommes rassurés. L'esprit généreux du caribou a écouté la prière de l'aîné. C'est que Nessipi est un puissant chaman et un grand chasseur.

Le cœur léger, je vole dans ma tête, glisse comme un cerf-volant pris dans le vent haut dans le ciel. Un fil soyeux me relie à la terre. La brise me cajole, me raconte de fabuleuses histoires de chasse en tambourinant sur mes tympans, me berce comme si j'étais un enfant :

Fais dodo. Colas mon petit frère.
Fais dodo, t'auras du lolo
Fais dodo… Fais dodo…

Je suis comme un réveille-matin au bout de son ressort. Mes paupières tombent une dernière fois sur mes yeux ensablés. La bourrasque tabasse furieusement la tente qui tremble. Les loups hurlent, hurlent. Les perdrix tambourinent, des milliers d'oies des neiges prennent leur envol en pagaille, criaillent comme des centaines d'enfants dans une cour d'école. J'en ai plein la tête… la tente tremble, frénétique… La tourmente frappe violemment, à coups de bélier

dans la porte de toile qui vole, claque.
Ma mère chante :

Au clair de la lune
Mon ami Pierrot
Prête-moi ta plume
Pour écrire un mot…

Une masse froide déferle comme une grande marée d'automne, envahit mon refuge. Je me jette à quatre pattes comme un ours dans sa ouache[29], pour colmater la brèche. Je cherche le bout de toile à tâtons, l'attache à la perche et ferme la porte à la tempête qui fait rage sur la taïga. Mon feu refroidi fume. Je suis transi. Du bout de ma mitaine, je pousse des brindilles dans les cendres et, prosterné, je souffle dessus. Les charbons grisonnants se découvrent et rougissent sous mon souffle chaud, comme des chikoutés[30] au gros soleil d'été. La flamme explose enfin, illumine la tente comme au soir de Noël à la messe de minuit. Sa clarté m'éblouit. Je reste agenouillé, la peur enracinée dans mes tripes, abasourdi comme si je venais de m'engouffrer dans une profonde poche d'air.

Le peu de chaleur accumulé durement s'est dilapidé en quelques secondes. J'en ai pour un bon bout de temps à grelotter.

On ne sait jamais combien de temps peut durer une tempête dans la taïga. Je prends mon mal en patience, m'enroule dans mon sac de couchage, entretiens le feu, me fais petit et humble. J'ai dormi je ne sais combien de temps. Pour l'instant, la peur a chassé le sommeil.

La neige a vite fait de m'ensevelir. J'attends que le beau temps revienne, comme un marin terré dans la cale de son bateau en perdition dans une mer déchaînée.

11

L'ATTENTE

Je vois Marie allongée dans des fourrures, entourée de vieilles femmes qui lui chantent de doux encouragements.

Marie a mal. Ses halètements saccadés battent mes tympans. Elle gémit, un gémissement sourd et retenu entre ses dents, comme les grognements d'une ourse. Elle crie, un cri aigu d'aigle. Kokum, la sage-femme, chuchote aux autres femmes qui se meuvent comme des ombres au clair de lune. Elles aident Marie à s'accrocher des deux mains à une perche transversale retenue aux poteaux de la tente. Elle s'agrippe fermement, accroupie, les jambes ouvertes, face à l'étoile Polaire, car l'enfant qu'elle livre cette nuit est un enfant d'hiver.

Mon amour pour Marie n'a jamais été aussi grand. Je la vois forte, potelée, les muscles saillants, les fesses ovées, les cuisses dures et je suis ému par son ventre immense qu'elle projette devant elle comme une déesse qui porte la terre féconde et nourricière dans ses entrailles.

Kokum s'agenouille devant Marie, les mains recouvertes d'un lange en peau de caribou qu'elle tend entre ses cuisses vibrantes, pour recevoir le nouveau-né. La sage-femme murmure du ton maternel d'une grand-mère :

— Viens, mon enfant. Viens ! Nous t'attendons.

Marie se cabre. Ses muscles se gonflent et se contorsionnent sous sa peau, comme les grosses racines des mélèzes qui courent à ras de terre et de roc. Ses cuisses frémissent, s'ouvrent, généreuses. Elle jette sa tête en arrière. Ses cheveux de charbon, trempés, tombent dans le vide. Elle pousse un grognement guttural, riche d'espoir et de délivrance.

— Viens, mon enfant, viens, dit-elle amoureusement.

Et je dis profondément ému :

— Viens, mon enfant, viens.

Le lourd fruit mur se détache du plant, tombe dans les mains de la grand-mère qui l'approche du feu, se penche sur lui, tandis *que les femmes couchent Marie dans les fourrures.*

Boum ! Boum ! Boum ! Dans le silence de la tente, les cœurs battent en sourdine, dans l'attente… Tout à coup, le bébé lance un cri strident qui nous bouleverse. Ses pleurs se déchaînent. Ses hurlements peuplent la tente, se répercutent dans les quatre directions de la taïga. Nous sommes heureux, Mukushum sourit. Les hommes rallument leurs courtes pipes et tirent bruyamment des bouffées invisibles.

J'éponge le front de mon amour. Kokum me tend le nouveau-né comme une offrande :

— Voici votre fille.

Je la reçois avec amour dans mes mains en creuset et la pose en douceur sur le ventre encore palpitant de Marie.

Un silence insolite me tire de mon assoupissement. Le calme est grave. Un coin de ciel clair filtre par la cheminée.

La tempête est finie. Il était temps. J'avive le foyer avec les quelques bouts de bois qui restent. La neige entassée autour de la tente m'isole, trace une ligne sombre à la hauteur de mes épaules. J'habite maintenant un terrier. Je sors sans me presser de ma momie. Je pense à creuser des encoches dans mon bâton de marche, pour marquer le temps, puis j'abandonne.

— À quoi bon ?

Quand ai-je creusé la dernière encoche ? Le *crash* de mon avion se perd dans la brume. L'accident remonte à très longtemps : des jours… des semaines… des mois… Je ne sais vraiment plus.

— J'ai été séquestré par la tempête deux jours… trois…

Je recule dans le temps quand tout à coup je frissonne, me précipite sur la sortie, tire à deux mains la toile glacée dans la neige. Je me bute le nez à un mur blanc compacté par le vent. Je le troue à grands coups de bâton puis je creuse à toute vitesse avec mes mains, poussant la neige derrière comme un chien qui cherche son os. J'avance à quatre pattes dans le tunnel, m'arc-boute et me propulse le torse à l'air libre, comme une perdrix apeurée qui crève la couche de neige qui couvre le nid où elle se terre quand, le matin, elle entend venir le renard sur la croûte.

La soudaine blancheur de la couverture neuve me poivre les yeux. Les reflets des rayons du soleil sont insupportables. Je m'enfouis la face dans mes larges mitaines et lentement, goutte à goutte, je laisse filtrer mon regard. Le paysage hivernal est somptueux dans ses couvertures bleutées. Le monde tout autour scintille de pureté. Mais c'est un ciel vif, bleu acier, sans le moindre duvet de nuage que je scrute attentivement, l'ouïe en alerte.

— Rien !

Le temps s'est coagulé. Une petite bise basse turlute par en dessous un air de rien, un air ratoureux sur une seule corde.

— Non… rien dans le ciel. Même pas un oiseau. Je jurerais avoir entendu la rumeur lointaine d'un moteur d'avion. Je n'ai certainement pas rêvé. J'ai l'oreille fine. Mais là je n'entends que le silence impitoyable d'un ciel clair et limpide comme un miroir.

Je ne me décide pas à bouger, coulé dans la neige jusqu'aux genoux avec dans mon être le malaise étrange que l'on ressent quand des yeux invisibles

nous observent à la dérobée. Les loups ?
L'homme caribou[31] ? Le regard dans
mon dos vient de la toundra. Prisonnier
de la tempête, je n'ai pas pu me familiariser avec les lieux. Je suis un étranger
dans ce campement. Je monte avec
précaution le sentier par lequel je suis
arrivé, mon bâton à la main, balayant
le paysage blanc des yeux. Je n'ai pas
loin à faire. Nos regards se croisent,
s'accrochent. Je suis troublé.

Un visage sculpté dans la chair vive
d'un tronc de mélèze me dévisage.
J'approche avec respect, comme un
pèlerin entre dans un sanctuaire et je
m'immobilise en contrebas, à distance
respectable. Nous ne nous quittons pas
des yeux. La vieille dame au teint gris,
veille sur le territoire innu. Ses cheveux
nattés tombent le long de ses pommettes
saillantes, usées, érodées par des années
de vigile. Son large front est raviné. Un
léger sourire plisse les coins de ses lèvres
épaisses et ride la rosette ensoleillée de
son menton. C'est par ses yeux bridés
aux orbites ourlés que la grand-mère
plus que centenaire impose sa présence.
Elle est belle.

— *Kwe*, Kokum !

— *Kwe*, sois le bienvenu.

— *Tshinashkoumiten*.

Il fait anormalement froid pour cette période de l'année. Heureusement, je ne suis pas en janvier ou février. Je règle ma vie sur le jour, la nuit et le temps qu'il fait. Je me lève à l'aube et prépare une infusion de branches et d'écorce de mélèze que je bois lentement en grignotant un peu de pemmican.

En mettant le nez dehors, je scrute attentivement l'horizon.

— C'est peut-être pour aujourd'hui !

Je ne perds pas espoir même si jusqu'à présent je n'ai rien vu. Je sais qu'un de ces bons jours, un avion passera dans le ciel.

— Mais quand ?

Tous les matins, je laboure le sentier de ma nouvelle ligne de trappe. Je fais le trajet aller-retour en traînant mes *mukluks* dans la neige. J'ai tendu six collets à lièvre dans les aulnes le long de la baie, là où j'ai trouvé de nombreuses pistes qui se croisent. Je les ai fabriqués avec mes longs lacets de bottines que j'ai fait geler dans l'eau pour les arrondir. Ce n'est pas suffisant. Il m'en faudrait davantage. Les lièvres arctiques jouent à cache-cache avec moi. J'ai beau bloquer toutes les issues, ils sautent par-dessus la clôture, passent à côté ou en dessous. Du premier qui s'est pris, les loups, passés avant moi, ne m'ont laissé qu'une petite touffe de poils blancs. Ils ont même dévoré le lacet. Mais le deuxième, je l'ai bien eu. Il criait en pleine nuit comme un cochon qu'on mène à l'abattoir : je me suis précipité sur la piste à l'aveuglette, en me dirigeant au son. Le gros lièvre donnait de puissants coups d'épaule dans le collet qui lui serrait la gorge. Je lui ai fracassé le crâne à coups de bâton.

J'aime le sentier que j'ai tracé entre les épinettes, à travers la savane. Il saute le ruisseau sur un pont de glace, traverse la pessière[32], serpente sur le flanc de la butte. Mais je ne flâne pas sur la piste. Je me tiens près du tas de bois que j'ai placé autour du tronc sec d'une épinette chevelue. Je le déneige régulièrement, vérifie si mon bout de chandelle est toujours en place... prêt à le faire flamber au premier ronronnement d'avion. Je tends sans cesse l'oreille. Mais le vent s'amuse à brouiller les pistes. Je voudrais explorer plus loin, de l'autre côté du lac, mais je n'ose pas. Ce ne serait pas sage de ma part.

J'ai fait geler dans des buttes de neige mouillée trois longues têtes branchues d'épinettes plantées en triangle sur le lac. Mon signal de détresse est bien visible du haut des airs. Le pilote le verra de loin et saura où je suis et dans quelle direction se poser sans danger.

Je casse régulièrement la glace de mon trou d'eau à la hache et le bourre de neige croûtée pour retarder le gel. En début d'après-midi, j'attaque l'épuisante corvée du bois. Il n'y en a plus autour. Je m'approvisionne maintenant dans un ancien brûlé : il y a plusieurs années, un feu de brousse a dévasté une partie de la forêt, laissant de nombreux chicots encore debout, droits et squelettiques. Je garde une bonne réserve au cas où un jour je serais trop faible pour bûcher. J'aurai au moins du chauffage pour trois jours… une semaine ? De jour, j'entretiens tout juste le brasier, c'est plus économique. La nuit, je chauffe davantage. Les grosses pierres rondes qui encerclent le feu absorbent la chaleur et la diffusent dans la tente.

Je suis sorti cette nuit, appelé par un croissant de lune qui miroitait dans la cheminée de la tente. Il neige une neige folle, gaie, qui papillonne dans l'air, se pose sur mes épaules, fond en piquant sur mes joues fiévreuses. Les épinettes minces aux têtes en bouquets hirsutes ombragent la surface mauve du lac d'arabesques et de taches fantasmagoriques. Les danseurs célestes embrasent tout à coup la grande scène du Nord, explosent en feux d'artifice, voguent à qui mieux mieux dans le ciel jusqu'à l'aurore en déployant de grandes voiles multicolores.

J'écoute l'harmonica mélancolique de la nuit paisible. Ici et là dans la forêt, des arbres craquent, saisis dans l'étau impitoyable du froid intense. J'ouvre mon cœur, j'essaie de comprendre cette extraordinaire démesure. Une étoile errante s'éclipse à l'horizon et se perd dans la Voie lactée.

J'aimerais tant partager ce moment de plénitude avec Marie.

Une meute de loups hurle dans la toundra. Un immense chagrin plein de tendresse coule dans mes veines.

Quand j'ai un moment de libre, je m'installe à califourchon sur une grosse branche de mélèze qui a poussé de travers. Appuyé au tronc, à six pieds du sol, j'ai une vue imprenable sur l'immense lac d'un blanc lumineux et la silhouette des montagnes usées, bossues, tracées en fond de scène comme un large trait de pinceau. J'observe, j'écoute, j'admire le paysage insolite. Le vent est infatigable, d'une imagination débordante. Jamais à court d'inspiration, le célèbre sculpteur remodèle sans cesse à sa façon l'immense décor qui m'entoure. J'ai soudainement l'impression que le bout du lac est en mouvance. Je me dresse pour mieux apprécier :

— Est-ce la poudrerie… un cyclone… un simple tourbillon solitaire ?

La brume grise prend de l'ampleur. Pourtant, ici c'est le calme plat.

— J'aurais dû y penser plus tôt ! Des caribous !

Un troupeau de caribous court sur la surface gelée. C'est la saison de la migration. Les hardes se rassemblent, les mâles, les femelles et les veaux, pour migrer vers le Nord, trouver de nouveaux pâturages.

— Il y en a cinquante... cent... deux cents... je ne sais pas, on dirait une armée en déroute fuyant pêle-mêle devant l'ennemi, les panaches agités, les pattes raides, écartées.

Le chef de file, le museau en l'air, musclé, souple, le poitrail bombé, mène le bal. La harde le suit. Les larges sabots fourchus claquent sur la glace.

— Pourquoi courent-ils si vite ? J'ai le vent dans le dos. Ils ne me voient pas, mais ils devraient me sentir. Des loups ! Un... deux... trois.

Trois énormes bêtes efflanquées, longues comme mon toboggan, déployées en éventail les pourchassent, se tenant à distance raisonnable. Les mères, conscientes du danger que courent les petits, s'affolent, se bousculent dans la cohue. Les loups en profitent. Ils fendent la harde, isolent une femelle, la prennent en chasse. Elle panique, ne sait plus où donner de la tête. Son salut est dans la fuite. S'enfoncer dans la forêt serait s'embourber dans la neige, se jeter dans la gueule du loup.

Les trois coureurs, imperturbables, trottent derrière sans faire d'effort. Ils se ménagent. Le caribou veut prendre le large... un des poursuivants accélère, le rabat vers la rive.

— Elle va s'en tirer, elle est rapide.

Déboussolée, elle vacille, ses sabots glissent, ses pattes musclées se déjettent, elle lance un profond mugissement de déception et de douleur. Un cri de détresse qui lui sort du ventre. D'un formidable coup de reins, elle se remet sur ses quatre pattes. Les chasseurs espéraient ce moment. Les corps souples s'allongent, les cous s'étirent, les puissants muscles des épaules roulent sous la peau poilue. Les loups volent. Les rudes coussinets des pattes tendues effleurent à peine la glace. Les gueules rouges des carnassiers sont ouvertes, les oreilles pointues sont raides, les queues touffues flottent comme des fanions dans le vent. Tendu, j'entends dans ma poitrine la galopade furieuse du cœur du caribou. Les rayons du soleil pâle luisent dans les poils lustrés, humides. Deux autres loups, des vieux rusés, tout gris, tapis dans les broussailles, presque sous mes pieds, bondissent comme des boulets de canon, coupent la course de la femelle, attaquent. Le premier enfonce, dans le tendon du jarret, ses crocs étincelants, puissants comme les mâchoires en dents de scie d'un piège de fer. Il lui broie la patte. L'autre s'élance, s'accroche au flanc à pleines dents, se laissant traîner de tout son poids. Profondément atteint, le caribou tourne en rond, tête baissée, rue dans les airs, tombe lourdement, bat désespérément des pattes. Il s'éteint comme les pales d'un hélicoptère quand le pilote coupe le moteur. La meute se précipite, se bouscule, lui ouvre le ventre. Les loups raffolent des entrailles chaudes, des cœurs palpitants, du sang clair.

Je saute de mon perchoir, empoigne mon bâton et me mets à courir sur le lac en hurlant à tue-tête comme un musher[33] en colère contre ses huskies sauvages.

— Hush ! Hush ! Hush !

Je crie à pleins poumons dans l'air brûlant et je tape sur la glace dure du bout de ma canne. Les sons sourds résonnent en écho jusque sous les pattes des loups qui cessent leur carnage, hésitent, se regardent, déroutés par l'épouvantail à étourneaux qui s'égosille, gesticule, fonce sur eux comme un grizzli sur un gros saumon. Dans un même élan, ils se dardent sur le cadavre, s'arrachent des morceaux de chair, s'enfuient, leur longue queue entre les jambes. Ils traînent leur pitance, s'arrêtent à bonne distance, me regardent les crocs découverts, les babines tremblantes. Je me place entre la meute et le lieu du carnage.

— Hush ! Hush ! Hush !

Mon bâton tournoie, menaçant, comme si j'allais les attaquer. Ils ont l'air ridicule, la tête ensanglantée jusqu'aux longs poils de la collerette, leurs petits yeux ronds, comme des merises. Ils s'enfuient en se chamaillant pour la tête qu'ils traînent à plusieurs dans la forêt. Ils s'imaginent que de toute façon il ne me reste rien à me mettre dans le ventre.

Craignant que les loups reviennent réclamer leur reste, je vais vite chercher mon toboggan, ma hache et mes chaudrons. Je récupère tout : la panse figée que les carnivores dédaignent, deux sabots avec les tibias, quelques lambeaux de chair et de peau, la neige rouge et la glace imbibée de sang que je racle. Je traîne mes précieuses provisions à la tente sans tarder. J'avive la flamme. Ici, je suis en sécurité. La meute peut toujours tourner autour. J'habite un véritable fortin. Tous les jours, je rehausse la paroi avec de la neige. Je la calfeutre de branches vertes que je coince avec de nouvelles perches. La condensation a consolidé les murs comme un torchis inextricable. J'emprisonne la chaleur.

Je fais fondre la neige et la glace rougies dans le chaudron et j'y incorpore une bonne partie de la panse verte. Je brasse à la cuiller de bois. Le potage épaissit, fume, se transforme en purée. De fortes odeurs de lichen et de tourbière envahissent mon espace. Je me gave jusqu'à en être saoul. Repu, je m'endors, content d'avoir vengé mon lièvre.

12

S.O.S.

Je saute de mon observatoire avant qu'il ne fasse trop noir et en touchant le sol gelé je frémis, immobile, encore recroquevillé, tendu, l'oreille vers l'ouest, le souffle coupé. Dans ma chute, j'ai capté le bourdonnement d'un oiseau-mouche... Je jurerais que c'est un *Cessna*. Au-dessus de la montagne à l'extrémité du lac.

Je prends sur-le-champ mes jambes à mon cou.

— S'il a mis le cap sur Schefferville, il passera au-dessus du camp ou pas très loin.

Je me précipite sur mon tas de bois prêt à flamber pour signaler ma position. Je le balaie à grands coups de mitaines. La neige folle vole en poussière. J'enflamme une allumette. J'allume la mèche de mon bout de chandelle. J'attends ce moment depuis longtemps.

J'écoute encore, le visage ferme, silencieux comme une statue de marbre.

— Rien. Que le vent... A-t-il pris une autre direction ? Vers Labrador City... Fermont... Goose Bay ?

La mèche froide noircit, se replie, se tord.

— Allez ! Allez !

La flamme chancelle. Elle prend un temps fou à se revigorer, flâne comme si elle avait une éternité à vivre.

— Vas-y ! Vas-y !

L'air se réchauffe enfin au cœur du foyer. J'ouvre une prise d'air sur le côté en déplaçant une bûche. Appelé, le vent s'engouffre, fouette les tisons. Les flammes se multiplient, se propagent, explosent comme un feu de broussailles qui dormait depuis des années sous le tapis moussu de la steppe. Le chicot flambe comme une torche.

Le temps file à une vitesse vertigineuse dans la taïga. L'horizon, déjà mince, disparaît à vue d'œil. La piste se fond dans la grisaille du ciel, de la neige et de la glace, qui se marient.

Mes balises ne sont plus que d'inutiles fantômes sombres.

Le *Cessna* vrombit au-dessus du plafond opaque qui nous sépare, puis s'évanouit dans les limbes.

Le pilote a sûrement vu mon signal de détresse. Du haut des airs, il a une bien meilleure vue que moi, ici, en bas. Atterrir à cette heure-ci est trop risqué. Il a tout juste le temps de rentrer à sa base. Il reviendra demain matin à la première heure…

La nuit s'impose, froide, impénétrable. Je reste songeur, appuyé sur mon bâton de marche, les yeux rivés sur l'étrange colonne de feu qui fait danser la forêt, qui pétille, pète, fume, jette des rivières d'étincelles claires qui vont mourir comme des mouches dans les profondeurs du ciel.

À cette heure, le pilote est certainement rentré à la base. Était-il seul ? Tout au long du trajet, il se demande ce que signifie ce qu'il a pu voir… Il a bien un soupçon mais… dès qu'il met les pieds dans la roulotte, il raconte son histoire à ses confrères, étonnés, qui sont encore là à cette heure tardive. Certainement

John, René, Paul et le bon vieux Léo ; ce sont toujours les derniers à partir. Ils aiment à se raconter leur journée autour d'un café.

Le pilote anxieux s'exprime avec prudence :

— Écoutez, les gars, j'ai pas rêvé. J'ai bel et bien vu dans une trouée une longue flamme, comme un arbre en feu dans la forêt. Je ne sais trop ce que c'était, mais avouez que c'est pour le moins étrange. J'ai fait une deuxième passe, là j'ai rien vu ! Le plafond était trop bas. Moins de cent pieds. J'étais limite dans le temps. Je suis rentré, mais je vous jure que j'ai bien vu ce que j'ai vu.

Il s'arrête, les deux mains à plat sur le comptoir, les yeux lumineux. Il a tout dit, attend.

— Ouais… curieux… un arbre en feu l'hiver comme un S.O.S… est-ce que ce pourrait être Pierre ?… »

— C'est ce que je pense !

— Ce serait un miracle !

— Ça s'est déjà vu, les gars, un pilote survivre à un crash… des semaines, des mois même. Il y a des pilotes qui ont neuf vies, comme les chats, c'est connu.

Tenez, Fecteau au Labrador en l939, il a vécu deux mois avant de mourir de faim ; Wilson au Yukon, lui, il s'est laissé dériver sur une banquise pendant une semaine.

— Bon. Appelons tout de suite le sergent Laniel. On verra ce qu'il en pense.

Vingt minutes plus tard, le sergent arrive en trombe au volant de sa *Jeep*. On lui raconte l'histoire de long en large. Il écoute attentivement sans broncher, le front barré. Il réfléchit longuement.

— Nous on pense, sergent, que ce pourrait bien être Pierre McKenzie !

— Je le crois aussi… On ira voir demain matin à la première heure ce qui se passe de si étrange au Champdoré.

— O.K. ! C'est parfait.

— Sergent ?

— Oui ?

— C'est moi qui vous pilote. Je peux y retourner les yeux fermés pis vous atterrir sur un dix cents s'il le faut.

— O.K. ! Ça me va. Je te crois sur parole ! J'aimerais mieux que tu voles les yeux ouverts et me poser sur le lac. Tu sais, moi, l'avion…

— Oui, je sais. C'est pas votre sport favori. Comptez sur moi pour vous atterrir!

— Bon. Qu'est-ce que la météo dit pour demain?

— Je viens tout juste de parler à la tour de contrôle. Yvette me dit que ça risque d'être du pareil au même : de la mélasse et très froid. Il y a même risque de tempête. Ça dépendra des vents.

— O.K., de toute façon, on n'y peut rien. Ici, on vole toujours à la grâce de Dieu. On jouera ça à l'oreille, comme d'habitude. Ça lève à quelle heure?

— Pas beaucoup avant sept heures. Les nuits font la grasse matinée en ce temps-ci de l'année.

— Le dispensaire est sur ma route de retour. Je vais en profiter pour demander au docteur Jean Dézy de m'accompagner. C'est un médecin d'expérience.

— Sergent?

— Oui?

— Marie?

— Wow! Wow les moteurs! Pas trop vite. Ne partons pas de rumeurs. Pour l'instant, on sait rien. Je m'en voudrais de créer de faux espoirs. Préparez le *kit* de secours au cas où on en aurait besoin. Salut !

— O.K. Doo ! Ce sera prêt, sergent. Comptez sur nous.

Marie… Ma belle et douce Marie. Je m'en veux de la faire souffrir. Elle sera étonnée quand elle me verra arriver. Je dois avoir l'air d'un ours qui sort de sa ouache au printemps. Je vais la surprendre. Elle va exploser de joie et ce sera le plus beau jour de ma vie.

Je suis bouleversé rien que d'y penser. J'ai tellement hâte de la prendre dans mes bras, de sentir son ventre dur contre le mien, de m'enivrer des arômes de ses cheveux.

— Je dois sentir la vieille boîte de sardines…

L'arbre flambera une bonne partie de la nuit. Le ciel est toujours couvert. Je me résigne à entrer sous la tente pour alimenter mon foyer avant qu'il ne fasse trop froid.

13

Tshinashkoumiten

Je sais comment se passe un sauve-
tage, surtout si le temps est inclément.
Tout se fait très vite, en catastrophe, sans
que l'on ait le temps de réfléchir.

— Qu'est-ce que je fais de mon
toboggan, de mes chaudrons, de la tente,
de ma momie et de ma vieille branche
qui ne me quitte jamais, qui m'a vaillamment supporté dans les moments les
plus difficiles ?

Je suis attaché à tous ces objets qui
meublent ma vie.

— Je vais laisser ma tente debout,
renverser les chaudrons sur les pierres
du foyer, mettre le toboggan à l'abri en
l'appuyant au tronc de la grosse épinette.
Il y a déjà une bonne réserve de bois de
chauffage sous ses longues branches
étalées comme des bras protecteurs.

Tout cela pourra être utile à d'autres un jour, comme ça l'a été pour moi. Mais qu'est-ce que je fais du manteau en peau de caribou, des *mukluks*, des mitaines, du petit couteau et de la pierre à aiguiser de Christophe ?

Je contemple le couteau luisant dans la paume de ma main. J'ai passé des soirées à l'aiguiser tout doucement. Il m'a souvent tenu compagnie, m'a tellement aidé. Un couteau que l'on a reçu en cadeau est beaucoup plus qu'un simple objet. Je ferme mon poing dessus. Je le sens brûlant dans ma main. J'aime sa présence, sa forme, sa texture.

Je tourne et retourne le léger coffret entre mes doigts. Je suis charmé par l'écritoire. J'en avais une à l'école dans laquelle je gardais mes crayons à mine et où je cachais ma gomme à mâcher. Mais celle-ci témoigne d'une fabuleuse histoire d'amour. Anne et Christophe se sont aimés jusque dans la mort. Ils n'ont écouté que leur amour et sont allés jusqu'au bout de leurs idéaux. Ils ont donné un sens à leur vie et à celle du vieux Joachim en venant vivre avec lui sur ce grand territoire qui occupait tout son être. Si le vieillard a eu ce regain d'énergie sur la Mishtashipu, cette flambée de jeunesse dans les sentiers rocailleux et humides, c'est qu'il savait fort bien qu'il les naviguait et les portageait pour la dernière fois. Le vieux sage voyageait allègrement vers son paradis. Il est venu dans la toundra pour mourir parmi les siens.

Tout cela est contenu dans cette petite boîte de rien, au couvercle finement sculpté. Si je ne l'avais pas trouvée sur la table, dans cette cabane perdue dans la montagne, je n'aurais jamais rien su de ces jeunes amoureux, du vieux Joachim.

Je laisse filer le temps. Seules pétillent les braises. Me reviennent deux strophes du petit coffret d'Anne, elles tournent dans ma tête, comme des hélices au ralenti :

Prête-moi ta plume
Pour écrire un mot…

Cette chanson, je l'ai chantée mille… deux mille fois seul, ou avec ma mère, mais cette nuit elle prend des proportions que je ne lui connaissais pas. Je vais au-delà des mots et des images. Dans l'isolement de la toundra, j'ai appris à me dépasser, à comprendre le sens sacré des choses et c'est cette petite chanson qui m'a aidé à toujours mettre un pied devant l'autre, à aller de l'avant envers et contre tout.

Une idée vient de poindre dans mon être, comme une semence qui germe, gonfle, bouscule le terreau de ma pensée.

Avant d'empierrer Anne près de Christophe, j'ai déposé le recueil de poèmes qui lui était si cher dans la tombe, comme on dépose une bible dans les mains d'un mort avant de fermer son cercueil pour l'éternité.

Au pied de l'homme de pierre, j'ai redonné à Joachim sa tasse à thé en fer-blanc, son couteau croche et son chapelet, pour que ceux-ci l'accompagnent et le réconfortent dans son long voyage vers le merveilleux territoire de chasse des Esprits de ses ancêtres. « Si je meurs ici, sur ce territoire de chasse de mes ancêtres, fabuleux territoire, dur territoire fait de pierres, d'eau, d'arbres, de soleil, de caribous et de loups, de vent, de soleil, d'étoiles, de lune, de neige et de cime-tières, je mourrai sans regret, heureux. »

Je me défais gravement des vêtements de Christophe. Je plie le long manteau de peau, dépose le pantalon et les *mukluks*, les mitaines et l'écharpe dessus, les enroule dans la couverture de la Baie d'Hudson. Avec des gestes amples et solennels, du fond de mon âme et de toute ma pensée, je rends grâce au grand Créateur de toutes choses qui permet à un nouvel été de naître et de fleurir, et ainsi la vie continue, le cercle des saisons se perpétue.

Assis sur un épais coussin de branches, les jambes croisées, les genoux dans les paumes de mes mains, les yeux plongés dans ma vie intérieure et l'amas incandescent de braises chatoyantes, j'entends clairement la meute dans la nuit et les accords parfaits du vent chanter en canon leur puissant hymne national et je joins ma voix à la leur.

À partir de maintenant, je marcherai d'un pas posé parmi les humains, que ce soit à Schefferville, à Sept-Îles, à Québec ou peu importe le lieu où la vie me mènera sur terre. Je ne serai plus le même homme, car la toundra m'a livré un secret que je garde précieusement en moi. Je sais que tous les esprits de mes ancêtres, aussi nombreux que les étoiles qui scintillent dans la nuit, existent dans mon sang, dans mes amours, dans ma pensée. C'est en moi que vivent les esprits d'Anne, de Christophe, de Joachim, de Nessipi, de Kokum, de Mushum et de tant d'autres qui me sont chers.

Ce secret que m'a livré la toundra fait de moi un homme serein et heureux. Moi, Pierre McKenzie, je suis un porteur d'esprits et cela donne un sens à ma vie. Je sais que je ne parlerai plus avec la voix de tous les jours. Toundra ! Toundra ! *Tshinashkoumiten*.

À la première lueur du jour, je sors ranger sous l'épinette mon toboggan et mon fidèle bâton de marche. J'ai beaucoup de peine à me départir de mes valeureux compagnons de voyage. Le temps est blafard ; la visibilité sur le lac est presque nulle. Le plafond est à moins de cent pieds.

Il faut être intrépide pour voler dans de telles conditions.

J'ai vite froid en *makinaw*. Je retourne m'asseoir le torse haut, les oreilles aux aguets, comme une mouette sur sa roche au pied des rapides.

Lentement, je sors de ma torpeur. J'entends dans le lointain un bourdonnement que le vent charrie par bribes : ce sont les rumeurs d'un moteur d'avion. Le sifflement se rapproche, s'intensifie. Je rentre vite ranger minutieusement les vêtements dans un coin de la tente, poser le coffret au milieu du lit de tisons ardents et le couvrir de copeaux secs. L'épais brasier mugit. Les flammes jaillissent. La tente brille soudainement d'une lumière éclatante.

Je prends mes affaires et je sors. Le ronronnement toujours invisible est plus net. Je suis son trajet à l'oreille dans les nuages obscurs, les yeux au ciel… Brusquement, l'appareil d'acier, menaçant, fait irruption devant moi.

Mon cœur bat trop vite, ma tête bourdonne.

Le *Cessna* vrombit, fend l'air en rasemottes juste au-dessus de ma tête, oblique vivement vers la droite, frôle la cime des arbres du bout de l'aile, se rétablit juste à temps, prend un peu d'altitude, lèche la crête rocheuse du massif, s'évanouit.

L'avion se pointe enfin au bout du lac, droit devant, à peine visible dans la grisaille, comme un maringouin géant qui lutte par gros vents.

Le pilote s'aligne sur le triangle d'épinettes, amorce une approche, plonge ! Les skis touchent durement la piste, la queue tape sur la glace. Sans désaccélérer, il fonce en direction de mon campement. Il neige de plus belle, une neige aveuglante qui pique les yeux. L'avion fait du surplace dans un tintamarre d'enfer, pivote sur lui-même à plein régime et s'immobilise en position de départ. L'hélice, prise dans le vent, soulève un immense brouillard de poudrerie qui le fait totalement disparaître.

— Je sais que le temps presse.

Je gèle tout rond dans mes petits vêtements de coton et mes grosses bottines évasées. Je marche sur le Champdoré, mon sac de survie en bandoulière, ma hache à la main, vers l'avion qui m'attend.

Une ombre se profile dans le blizzard.

— Pas vrai ! C'est Marie ! Maariiie !

Marie court lourdement vers moi en battant l'air de ses mains.

— Je pourrais croire qu'elle tombe du ciel !

Je m'étais imaginé la rencontrer à Squaw Lake à ma descente d'avion, mais jamais de ma vie ici, sur le grand lac, au milieu de la tourmente.

— Je n'ai pas vu un être humain depuis des semaines et des semaines, et la première personne que je vois, c'est Marie ! Ma Marie !

J'oublie tout : la misère, la faim, le froid, le vent. Nous nous enlaçons au cœur des tourbillons cinglants. Le sergent la suit sur ses talons, emmitouflé comme un cosmonaute dans son ample anorak blanc. Il me tape dans le dos et vocifère dans les bourrasques :

— Allez ! Allez ! Venez vite, les enfants. On n'est pas sortis du bois avec cette maudite tempête.

Il nous pousse vers le petit appareil sombre qui gronde comme les chutes Niagara.

Le pilote, le corps penché vers la portière ouverte, tend son long bras nu à Marie pour l'aider à monter. Nos regards se croisent.

— C'est Léo ! Léo Durocher.

Léo est aux commandes en bras de chemise, les manches roulées aux coudes, son éternelle casquette rouge à longue palette enfoncée jusqu'à la ligne de ses yeux bleus, la face rougeaude, sa légendaire moustache blanche en brosse à plancher… Imperturbable, il me lance un gros clin d'œil paternel qui me va droit au cœur.

Léo est un vieux de la vieille. L'été, je travaillais au quai comme homme à tout faire. Il m'a alors pris sous son aile. Je lui dois mon baptême de l'air. C'est à ses côtés, en volant en cachette des *boss* de la compagnie, que j'ai appris tout jeune à piloter.

Nous nous engouffrons tête première dans l'étroite queue alors que le sergent reprend sa place à l'avant. Tandis qu'il boucle sa large ceinture, Léo pousse les commandes à fond. Nous skions à folle allure sur la glace raboteuse.

Nous nous assoyons tant bien que mal sur la banquette défoncée en nous tenant les mains. Le vieil avion de brousse empeste l'huile à plein nez. Un tuyau en caoutchouc criblé de trous serpente sur le plancher et pousse bruyamment un mauvais air chaud à nos pieds. À chaque bosse, la carlingue vibre de toute son ossature de ferraille. La tourmente nous enveloppe dans son long châle vaporeux. Nous cahotons sur le Champdoré, tout en fonçant droit devant, à travers la poudrerie, sans aucun repère. Le ciel et la terre ont disparu. Un méchant vent de travers déporte la queue, déroute l'avion. Le pilote attentif, assis sur le bout des fesses, accélère, corrige la trajectoire à petits coups. À tout instant, nous risquons de culbuter, de nous casser en deux comme un cerf-volant qui pique en spirale. Le sergent s'arrime à deux mains à l'armature de son siège.

— Soudainement, je me sens léger, ballotté dans l'air. Nous volons ! Ouf !

Le moteur est poussé à bout. Nous grimpons à la verticale, crispés au fond de nos sièges, écrasés comme si nous venions d'être propulsés d'une rampe de lancement, nos regards fixés sur le large pare-brise enneigé, vide comme un vieil écran de télé. Les secondes tombent, interminables, tandis que nous poursuivons notre montée vertigineuse, abasourdis par les vrombissements incessants du moteur et les sifflements stridents du vent qui fouettent le fuselage. Brusquement, le pilote vire, exécute *in extremis* une manœuvre que seule une hirondelle de mer oserait faire. L'avion glisse de biais, vole sur l'aile gauche, nous entraînant dans son élan, s'engouffre dans un étroit corridor lumineux qui s'ouvre par miracle, nous crevons les nuages comme une fusée, bondissons dans un ciel d'un bleu profond, immensément pur, imperturbable, baigné par la douce lumière matinale d'un superbe soleil doré, encore à moitié trempé dans une écume blanche qui ondule à perte de vue. Le *Cessna* se remet d'aplomb, prend sa course comme si de rien n'était. Le vieux moteur retrouve son ronron monotone. Le pilote se détend. Le sergent desserre les dents. Nous voguons tout fin seuls dans un prodigieux espace aérien translucide comme une goutte d'eau de source, sans horizon, sans frontières. Notre minuscule avion plane au-dessus des nuages, majestueux comme un aigle aux grandes ailes déployées. Des éclats de soleil miroitent sur la carlingue humide.

Marie, radieuse, sourit, sa figure ronde pleine de lumière, les yeux étincelants de perles de rosée, débordants d'amour. Je ne l'ai jamais vue si belle.

— Marie! Ma belle Marie. Je ne pensais jamais te voir ici. Je suis tellement heureux.

— Pierre! J'ai tout de suite su que c'était toi. J'attendais ce moment depuis si longtemps. Au dispensaire, j'ai insisté pour venir. Le docteur Dézy m'a dit : « O.K.! O.K.! Vas-y à ma place. Pierre a certainement plus besoin de ta médecine que de la mienne. » J'ai passé la nuit à la base avec les pilotes, à attendre que le jour se lève. J'avais tellement hâte…

Marie se roule dans son petit espace, s'agenouille sur la banquette, s'assoit sur ses talons. Elle est gigantesque. Sa tête frôle le plafond. Elle déboutonne son anorak, ouvre les deux pans en éventail, se cabre, me montre fièrement son ventre, ové comme la terre, rebondissant sous son pantalon noir. Je le prends dans mes mains largement ouvertes. Il est dur et chaud. Son chandail de laine rouge moule ses seins généreux. Marie est devant moi, souriante, ronde et sensuelle comme une Vénus portant la vie.

La mine réjouie comme lorsqu'elle me prépare un grand coup, elle plonge le bras derrière la banquette, sort prestement un petit sac de voyage, en tire une boîte bleue, rectangulaire, au couvercle à deux versants. Intrigué, je surveille attentivement tous ses mouvements, médusé par son sourire qui en dit long. Elle fait sauter les loqueteaux des deux pouces. Le couvercle bascule sur ses pentures. L'arôme qui sur le coup s'en échappe m'imbibe en entier comme si tout mon corps devenait une éponge. Les pores de ma peau frémissent, s'ouvrent comme des perce-neige le matin aux premiers rayons du soleil. Je chavire. Marie me tend un emballage carré en papier ciré. Je le déplie en tremblant, du bout des doigts. Toutes mes papilles gustatives suintent, ma langue gonflée baigne dans ma salive.

— Un sandwich !

Une épaisse tranche de jambon rose auréolé de blanc entre deux tranches de pain frais, moelleux, qui sent le levain, la boulange, la cuisine de ma mère, la tente de ma grand-mère quand elle dorait sa banique sur la braise.

— Un sandwich au jambon !

J'ai tellement faim que je n'ose pas manger. Mon sandwich ! Je le prends à deux mains et, fébrile, je mords dedans. Le pain, le jambon, la moutarde, un univers de saveurs se mêlent à ma salive, imprègnent mon palais, montent dans mes narines, envahissent mon âme, tandis que Marie dévisse le couvercle d'un Thermos de thé fumant. Son odeur âcre flotte dans le *Cessna* qui file vaillamment vers Squaw Lake.

Sur l'emballage posé sur mes genoux, Marie a dessiné une volée d'oies sauvages et a écrit : « Pierrot, notre fille et moi t'adorons plus que tout au monde. »

Je pose mon front sur sa poitrine. Je m'enivre de son parfum. Nous sommes au septième ciel, les larmes aux yeux, heureux.

Pierre McKenzie
Schefferville
Septembre 1970

Notes

1 Makinaw : Mot algonquin qui signifie manteau à carreaux.

2 Attriqué : Expression populaire qui veut dire débraillé.

3 Banique : Pain amérindien.

4 Chum : Terme familier qui signifie ami.

5 Nessipi : Amérindien, chef de clan.

6 DesRochers, Alfred, *À l'ombre de l'Orford*, Presses de l'Université de Montréal, coll. du « Nénuphar », 1948, coll. « Bibliothèque du Nouveau Monde », 1993, coll. BQ, 1997.

7 Britches : Mot anglais pour désigner un pantalon en grosse laine.

8 Mukluks : Mot amérindien pour chaussures d'hiver.

9 Cocottes : Mot familier qui désigne des cônes, des pommes de pin.

10 Zigonne : Terme populaire qui veut dire remuer en zigzaguant.

11 Torngats : Mot inuktitut pour désigner des montagnes abruptes qui séparent le Québec et le Labrador.

12 Montagnais, naskapis, esquimaux : Nations autochtones.

13 Ruine-babines : Mot familier qui désigne un harmonica.

14 Last Caaalll : En langage populaire, désigne la dernière danse.

15 Callais : En langage populaire, verbe qui veut dire animer.

16 Set carré : Danse écossaise.

17 Steppait : Claquait des pieds.

18 Swingnaient : Tourbillonnaient.

19 Graisse de binnes : Terme familier qui veut dire dans le vague.

20 Buck : Orignal mâle.

21 Pemmican : Viande sèche ou fumée réduite en poudre.

22 Esker : Formation géologique étroite et sinueuse formée de pierres et de gravier.

23 Reel : Morceau musical.

24 Makoucham : Danse traditionnelle des Innus.

25 Oiseau tonnerre : Aigle dans la mythologie amérindienne.

26 Tchékapesh : Personnage de la mythologie amérindienne.

27 Mishtanapéo : Synonyme de chaman.

28 Endormitoire : Forte envie de dormir.

29 Ouache : Tanière de l'ours.

30 Chikouté : Aussi appelé « plaquebière », ce petit fruit des régions nordiques est utilisé dans la fabrication de confitures et de desserts. En innu, ce nom signifie « feu ».

31 Homme caribou : Selon la légende, un Innu qui guide un troupeau de caribous.

32 Pessière : peuplement de conifères.

33 Musher : mot anglais pour désigner un maître de traîneau.

Table des matières

DU MÊME AUTEUR

Collection Atout

La Ligne de trappe

Quand l'avion s'écrase au milieu de nulle part dans le Grand Nord québécois, ils sont quatre survivants. Ils vont vivre ensemble des heures, des jours inoubliables dans la périlleuse toundra arctique malgré le froid intense, le vent qui s'infiltre dans les moindres interstices et le temps jouant contre eux. Seule la connaissance de ce milieu peut leur permettre de s'en sortir.

Journal d'un bon à rien, *Le Cœur sur la braise* et *Hiver indien* racontent l'histoire de Nipishish, de son adolescence jusqu'au début de sa vie adulte.

Journal d'un bon à rien

La vie de Pierre Larivière, connu aussi sous le nom amérindien de Nipishish, n'est pas ordinaire. Envoyé à la ville pour y étudier, il a plein d'espoir : vivre enfin libre et être autonome ! Bien vite, il y découvre le racisme et l'exclusion, tout en revivant les pages douloureuses de son passé à l'orphelinat.

Le Cœur sur la braise

Nipishish décide de quitter l'école et la ville pour retourner auprès des siens : il est sûr de son choix comme de son amour pour Pinamen. Cette double certitude lui donne la force de reprendre le combat de son père. C'est dans l'action qu'il se révèle un vrai descendant de ses ancêtres algonquins. Il devient ainsi un Indien libre et fier.

Hiver indien

Le jeune Métis Nipishish découvre que la mort de son père, vingt plus tôt, n'est pas accidentelle. Certaines personnes ont voulu faire taire cet Indien rebelle. Parviendront-elles aujourd'hui à empêcher son fils de faire la lumière sur l'affaire Shipu ?

Collection Plus

La Montaison

Il est impressionnant d'observer les saumons remonter la rivière. Lorsque Matamek voit cela, elle court chercher son grand-père, Nemesh, qui lui raconte la légende amérindienne de la première montaison dans la rivière Mishtashipu.

Le Capteur de rêves

Une araignée s'installe quelque temps sur le plafond de la tente de Mendesh et Nékokum. Ces deux sages-femmes croyaient tout connaître sur la nature et les exploits de leur peuple jusqu'au jour où l'araignée dévoile ses pouvoirs magiques en leur offrant un précieux cadeau…

Les titres de la collection Atout

* Lecture facile   ** Lecture intermédiaire   *** Lecture difficile